GENERATION
LAHMSTEIGER

Die goldene Ära des FC Bayern

JUSTIN KRAFT

GENERATION LAHMSTEIGER

Die goldene Ära des FC Bayern

Umschlaggestaltung: Pierre Sick, Copress Verlag

Louis van Gaals 4-Phasen-Modell: *Spielverlagerung.de*
Alle übrigen Grafiken: Justin Kraft, *Miasanrot.de*

Lektorat, dtp: Verlags- und Redaktionsbüro München,
www.vrb-muenchen.de

Bibliografische Information der Deutschen Nationalbibliothek
Die Deutsche Nationalbibliothek verzeichnet diese Publikation
in der Deutschen Nationalbibliografie; detaillierte bibliografische
Daten sind im Internet unter http://dnb.dnb.de abrufbar.

© 2019 der deutschen Ausgabe
Copress Verlag in der Stiebner Verlag GmbH, Grünwald
Alle Rechte vorbehalten. Wiedergabe, auch auszugsweise,
nur mit ausdrücklicher Genehmigung des Verlages.

ISBN 978-3-7679-1238-0

Printed in Germany

www.copress.de

Dieser Titel ist auch als E-Book erhältlich (ISBN 978-3-7679-2079-8)

INHALT

Prolog: Die Nacht
von Barcelona (2009) **9**

Kapitel 1: 2009-2012 **17**
Louis van Gaals Revolution 17 · Sportliche Stagnation 30
Heynckes zum Dritten 37 · Zwei große Niederlagen 42

Kapitel 2: 2012-2013 **51**
Umbruch und strategische Korrektur 51 · »Road to Wembley« 58
Zwei große Siege 65 · Die goldene Generation 70

Kapitel 3: 2013-2016 **75**
Guardiola und die Erwartungen 75 · Jahr 1: Veränderungen
und Probleme 78 · Jahr 2: Arbeit am Detail 96
Jahr 3: Die Vollendung? 111 · Die letzte Patrone 128
Was bleibt von Guardiola? 133

Kapitel 4: 2016-2018 **141**
Entfesselte Ancelotti-Bayern? 141 · Schneller
Niveauverlust 143 · Warum Ancelotti nicht passte 150
Heynckes zum Vierten 154

Kapitel 5: Der Übergang **159**
Eine einmalige Dekade 159 · Alles auf Neuanfang? 163
Start mit Hindernissen 166 · Die Zukunft ist jetzt! 179

Epilog: Ein Blick in den
Münchner Horizont (2018/19) *183*

Danksagung 190

»Mit Philipp [Lahm] ist das natürlich etwas ganz Besonderes. Er war auf der rechten Seite immer hinter mir, und das war gerade in den letzten Jahren ein blindes Verständnis. Ich habe gewusst, wo er war, was er wollte, und andersherum war das auch so. Das war super, das hat mir sehr viel Spaß gemacht, und es war auch eine große Ehre. Philipp ist ein großer Name, nicht nur bei Bayern, sondern für den deutschen Fußball. Super, dass ich mit ihm zusammenspielen durfte.«

Arjen Robben im Gespräch mit uns für *Miasanrot.de*

Prolog: Die Nacht von Barcelona (2009)

»München, du bist wunderbar«, denke ich. Ich laufe durch die Stadt. Vorbei an den Orten, an denen sich Touristen um die beste Position für Fotos streiten. Im Prinzip bin auch ich hier ein Tourist. Ich lebe in Potsdam und bin in der Nähe von Berlin aufgewachsen. Aber immer, wenn ich an der Isar entlanglaufe, überkommt mich ein diffuses Heimatgefühl.

Es ist ein schöner Tag im November 2018. Die Sonne scheint, keine Wolke ist am Himmel zu sehen. Mich zieht es zum Olympiapark – für mich einer der schönsten Orte in München. Ich genieße diesen Tag in völliger Einsamkeit. Auf einer Erhöhung habe ich einen Platz gefunden, an dem ich alleine sein und gleichzeitig auf das ehrwürdige Olympiastadion blicken kann. Ich erinnere mich an alte Zeiten mit meinem Lieblingsklub. Der FC Bayern hat mein Leben geprägt. Meine erste Erinnerung ist die Nachspielzeit von Barcelona im Jahr 1999. In einem der emotionalsten Momente hat dieser Klub mich gepackt und nie wieder losgelassen. Doch an diesem Novembertag denke ich nicht ganz so weit zurück. Meine Gedanken werden von einer Ära bestimmt, die nun ein Ende zu nehmen scheint. Diese Ära nahm ihren Anfang ebenfalls in Barcelona – allerdings zehn Jahre nach dem Drama im Champions-League-Finale. Ich blicke zurück auf einen Tag, der den FC Bayern nachhaltig verändern sollte. Ein Tag, mit dem die besondere Geschichte, die dieses Buch erzählt und erklärt, begann.

Damals war ich erst 13 Jahre alt. Große Spiele des FC Bayern konnte ich schon damals nicht verfolgen, ohne vorher irgendein negatives Szenario durchzuspielen. Was ist, wenn sie heute verlieren? Wie soll ich das vor meinen Freunden rechtfertigen? In der Schule musste ich, der große Fan, jeden Patzer der Bayern ausbaden. Ich wollte die Hoffnung nicht vorzeitig aufgeben, aber ich hatte gleich kein gutes Gefühl. Vielleicht war das alles wirklich nur meiner fehlenden Erfahrung und einer zu großen Nervosität geschuldet. Hatte der Trainer Jürgen Klinsmann nicht zuvor noch sehr selbstbewusst über das Los gesprochen, das der FC Bayern im Viertelfinale der UEFA Champions League zog? Der Gegner sei »eine Messlatte, die uns alle interessiert, auf die wir brennen«, sagte der Mann, der drei Jahre zuvor mit der Nationalmannschaft ein ganzes Land zu fesseln wusste. Ich glaubte ihm, auch wenn es keine einfache Saison für meinen Lieblingsverein war. Denn mit ihm saß jemand auf der Bank, den ich sehr schätzte.

Doch die Ausgangslage war schwierig. Vor dem Duell mit dem großen FC Barcelona verloren die Bayern mit 1:5 in Wolfsburg – eine Demütigung. Hinzu kamen Ausfälle von van Buyten, Lúcio und Philipp Lahm. Wer sollte diese Spieler nur ersetzen? Immerhin bestand die Viererkette in Barcelona aus Lell, Breno, Oddo und Martín Demichelis.

Damals war ich noch nicht ganz so verrückt wie heute. Heute schaue ich sehr viel Fußball. In den Top-Ligen Europas gibt es kaum eine (gute) Mannschaft, die ich noch nicht gesehen habe. Damals war ich im FC-Bayern-Tunnel. Solange ich jedes Spiel meiner Mannschaft sehen konnte, war ich glücklich. Aber Pep Guardiolas Barcelona hatte ich damals schon ein paar Mal gesehen. Es war beeindruckend, wie seine Mannschaft Fußball spielte. Fast schon beängstigend. Wie Klinsmanns FC Bayern dieses Team schlagen sollte, war mir ein Rätsel. Ohnehin hatte ich damals nicht mehr den Eindruck, dass die

Bayern in Europa noch zu den besten Teams zählen. Die Champions League war für mich seit dem großen Triumph 2001 eher eine ernüchternde Veranstaltung. Tiefpunkt war sicherlich das Gruppenaus 2003, als man gegen den AC Mailand, Deportivo La Coruña und den RC Lens nur zwei Pünktchen holte. Vor allem Ancelottis AC Mailand ging mir in dieser Zeit gehörig auf die Nerven. Einerseits hatte ich großen Respekt vor ihren Leistungen, andererseits konnte der FC Bayern zwischen 2002 und 2007 die Italiener insgesamt sechsmal nicht besiegen. 2006 war im Achtelfinale, 2007 im Viertelfinale Endstation, und der Unterschied zwischen diesen beiden Mannschaften war oft allzu deutlich. Selbst im kleineren UEFA-Cup sollte mich 2008 eine große Ernüchterung erwarten, obwohl es zwischenzeitlich zumindest sehr emotional wurde. Doch gegen Sankt Petersburg schied man peinlich aus. Der Klub, in den ich mich zwischen 1999 und 2001 so sehr verliebt hatte, war auf dem Weg ins europäische Niemandsland. Nein, er war dort bereits angekommen.

Versteht mich nicht falsch, auch die nationalen Wettbewerbe gaben mir sehr viel. Ich liebte den FC Bayern gerade während dieser internationalen Durststrecke besonders intensiv. Aber dass man in der Champions League nicht zu den Top-Teams gehörte, hat mich regelrecht genervt.

Akzeptieren wollte das in München offenbar niemand so ganz. Stattdessen »freute« sich nicht nur Klinsmann 2009 auf die Messlatte Barcelona. Auch Karl-Heinz Rummenigge, Franz Beckenbauer und Uli Hoeneß waren alle optimistisch, dass der große Turnaround gelingen würde. Schließlich habe man in Europa gezeigt, »dass wir mithalten können«, so Klinsmann damals.

Was folgte, war eine Demontage. Der junge Messi, Eto'o und Henry überrannten den FC Bayern innerhalb von nur 45 Minuten, als wäre es eine Trainingseinheit. Aus der Sicht der Katalanen war es ein fußballerisches Kunstwerk. Guardiola hatte einen Spielstil entwickelt, der den Klub in neue Sphären hob. So offenbarten sich am 8. April 2009 zwei Gegensätze, die deutlicher nicht sein könnten:

Auf der einen Seite der FC Barcelona – der Champions-League-Sieger von 2006, der sich nach diesem vermeintlichen Höhepunkt noch weiter steigern konnte, indem er ein klares Konzept verfolgte und es innerhalb weniger Jahre aus dem Schatten der europäischen Spitzenteams heraus auf den Thron geschafft hatte. Die ganze Welt blickte damals auf Guardiolas Mannschaft, die den Titel dann am Ende der Saison erneut gewinnen sollte.

Auf der anderen Seite der FC Bayern, der in nur 45 Minuten vier Tore kassieren musste und dort angelangt war, wo Barcelona hergekommen war: im Schatten. Es gab kein Konzept, keine klare Strategie. Die bittere Niederlage war die Quittung für eine Kette von Fehlentscheidungen, die in München seit 2001 getroffen wurden. Jürgen Klinsmann hätte diese Talfahrt eigentlich beenden sollen. Er stand für Innovationen und neue Wege. Doch seine Veränderungen wirkten nicht. Seine Mannschaft wurde in jener Nacht geradezu vorgeführt. Dass sie am Ende »nur« mit 0:4 verlor, und das Rückspiel 1:1 ausging, lag ausschließlich daran, dass Barcelona lediglich 45 Minuten lang den Bizeps anspannen musste, um das Halbfinale zu erreichen. Trotz aller Ausfälle und der fehlenden Qualität des Kaders war das Auftreten der Mannschaft kaum zu entschuldigen.

Ein Stück weit war ich fassungslos. Aber völlig überrascht war ich nicht. Schließlich war diese Niederlage das Ergebnis jahrelanger Versäumnisse. Die ganz großen Zusammenhänge erkannte ich damals natürlich noch nicht. Erst viel später wurde mir klar, was eigentlich alles passiert war und warum es passierte. Mit meinen 13 Jahren saß ich damals nur vor dem Fernseher und fühlte mich innerlich leer. Den letzten Funken an Hoffnung, den ich zuvor noch hatte – in nur

45 Minuten wurde er brutalst erstickt. Es war keine Mannschaft zu erkennen, keine Idee, nicht mal der Wille. Jeder war auf sich gestellt. So waren die Tore für Barça nur noch eine Formsache.

Für mich war es das erste Mal, dass ich mitansehen musste, wie eine Mannschaft den FC Bayern derart deklassiert. Selbst die hohe Niederlage gegen den VfL Wolfsburg kurz zuvor konnte man damit nicht vergleichen. Auch die Reaktionen im Klub waren deutlich. Klinsmanns Aus war quasi schon entschieden, auch wenn die Reißleine erst einige Zeit später gezogen wurde.

Noch am Abend des Spiels formulierte es Karl-Heinz Rummenigge auf dem traditionellen Bankett sehr drastisch:

»Wir haben ohne Zweifel heute gemeinsam eine sehr bittere Stunde erlebt in Barcelona. Ich möchte da gar nicht um den heißen Brei herumreden, das war ohne Frage eine große Blamage, was wir hier heute Abend erlebt haben, (…) und wir haben eine Lektion bekommen. Eine Lektion, die weh getan hat. (…) Wir haben eine große Verpflichtung, wir sind ein stolzer Club, dieser Stolz ist heute Abend zum Teil – speziell in der ersten Halbzeit – mit Füßen getreten worden.«

Aber es war es auch eine Lektion, aus der der FC Bayern seine Lehren gezogen hat. Speziell Barcelona hat dem Verein offenbart, was eine übergeordnete Strategie im modernen Fußball wert sein kann.

Strategie vs. Taktik: Strategie und Taktik sind militärische Begriffe, die heute in vielen verschiedenen Bereichen Anwendung finden. Während **Strategie** *sich auf den großen Plan bezieht, meint* **Taktik** *sämtliche kleinen Schritte, die zur Ausführung dieses Plans und zum Erreichen der Ziele notwendig sind. Am Beispiel Barcelona: Die Katalanen hatten das Ziel, dominanten und offensiven Fußball zu spielen. Das war die Strategie. Taktische Mittel dafür* *waren das Positionsspiel, hohes Angriffspressing, schnelles Kurzpassspiel oder auch das Überladen einiger Spielfeldzonen – um in einem Bereich des Spielfelds eine Überzahl zu schaffen.*

Die Strategie des FC Bayern war damals vor allem auf die Transferpolitik begrenzt. Ziel war es, deutsche Stars zu verpflichten und sie um die besten Spieler der Bundesliga sowie der eigenen Jugend zu ergänzen. Der Klub war der »FC Deutschland«. Eine wirkliche Idee davon, wie man Fußball spielen wollte, gab es nicht. Jeder Trainer brachte einen anderen Stil mit, jede Verpflichtung eines Spielers führte zu Veränderungen auf dem Platz. »Irgendwie wird man schon erfolgreich sein, wenn die besten Kicker der Bundesliga zusammen auf dem Platz stehen«, dachte man offenbar. »Früher hat das schließlich auch geklappt.« Aber nach dem Jahr 2001 klappte es eben nicht mehr. Die Stars wurden älter, die Talente rar, und so kam es, dass die Bayern national zwar weiterhin erfolgreich waren, international jedoch nicht mehr mithalten konnten. Der Fußball hatte sich nämlich weiterentwickelt. Im Ausland fokussierten sich Trainer zunehmend auf taktische Überlegungen, an die in Deutschland noch kaum jemand dachte. Deutschland, das Land der Tugenden, in dem Felix Magath Medizinbälle den Hügel hinaufschleppen ließ.

Spätestens im Jahr 2009 wurde dem FC Bayern klar, dass es nicht mehr genügen würde, immer nur im eigenen Dunstkreis zu bleiben. Bei der Trainersuche ging der Blick schon mal über den Tellerrand hinaus. Auch in der Spitze des Vereins sollte sich etwas verändern. Uli Hoeneß und Karl-Heinz Rummenigge schmiedeten offenbar langfristige Pläne. Mit Christian Nerlinger kam ein alter Bekannter zurück an die Säbener Straße, um Hoeneß zu unterstützen, ihn eines Tages vielleicht sogar zu beerben. Die Führungsetage erkannte, dass sich der Klub neu aufstellen musste.

Als Trainer sollte ein Querdenker verpflichtet werden. Bereits von Klinsmann hatte man sich erhofft, dass er die nötigen Veränderungen vorantreiben würde. Der Verein hatte ihm eine große Entscheidungsfreiheit gegeben. Es ist kein Geheimnis, dass auch Spieler wie Philipp Lahm schon zur damaligen Zeit – weit vor dem legendären Interview mit der *Süddeutschen Zeitung* – eine fehlende Philosophie kritisierten. Umso höher muss man dem Klub anrechnen, dass er auch nach dem Scheitern mit Klinsmann weiter auf komplett neue Impulse setzte.

Kandidaten für den Trainerposten gab es genügend. Letztlich hatte man sich zwischen zwei ganz besonderen Typen zu entscheiden: Matthias Sammer und Louis van Gaal. Sammer war als Trainer noch nicht lange aktiv, aber schon sehr erfolgreich. Mit Borussia Dortmund gewann er spektakulär die Meisterschaft, beim VfB Stuttgart holte er im Schnitt sogar noch mehr Punkte als mit dem BVB. 2006 übernahm Sammer dann den Posten des Sportdirektors beim DFB, später arbeitete er dort im Jugendbereich. Er war bekannt als Querdenker – ein Typ mit Ecken und Kanten. Bayern und Sammer sollten aber erst später zusammenfinden. Neuer Trainer wurde zunächst Louis van Gaal.

Für den FC Bayern bedeutete diese Entscheidung eine Zäsur. Sie läutete eine Ära ein, die den im europäischen Niemandsland gestrandeten Klub innerhalb weniger Jahre wieder an Spitze des Kontinents führen sollte. Denn so wie sich der Weg in die europäische Bedeutungslosigkeit schon lange vor der Nacht in Barcelona abgezeichnet hatte, so fiel auch das Triple im Jahr 2013 nicht vom Himmel.

Der FC Bayern wurde nicht zufällig Champions-League-Sieger 2013: Es war das Produkt einer Entwicklung. Die Bayern gingen einen langen Weg. Das Ziel war längst klar definiert: die Champions League zu gewinnen. Doch seit 2009 gab es nun auch eine Wegbeschreibung – einen Plan, der dem Klub helfen sollte, an die alten Tage anzuknüpfen.

Aus heutiger Perspektive darf infrage gestellt werden, wie langfristig dieser Plan wirklich durchdacht war. Doch selbst wenn auf dem Weg auch Zufälle eine große Rolle spielten, so wurden doch auch viele richtige und weitsichtige Entscheidungen getroffen.

Dieses Buch soll diese Geschichte nicht nur erzählen. Es soll auch analysieren und erklären, was der Klub zwischen den Jahren 2009 und 2016 richtig gemacht hat. Dabei beginnen wir in der Nacht von Barcelona: weil da der Grundstein für das gelegt wurde, wovon der FC Bayern München bis heute profitiert. Würde man diese Geschichte dagegen vom Triple ausgehend erzählen, blieben viele Aspekte unberücksichtigt. Denn bis es so weit war, hatte erst noch eine ganze Generation einen beachtlichen Weg zurückzulegen.

Zwei Spieler sind es vor allem, die diese goldene Ära des FC Bayern München so maßgeblich prägten, dass ich mich dazu entschieden habe, ihr den Namen »Generation Lahmsteiger« zu geben. Beide stiegen seit 2009 nach und nach zu Führungsspielern auf, und auch wenn Bastian Schweinsteiger im Jahr 2015 den Klub verließ und Philipp Lahm seine Karriere im Jahr 2017 beendete, so wird diese goldene Ära doch immer mit ihren Namen verbunden bleiben. Denn die Generation Lahmsteiger hat Großes hinterlassen. Heute können die Bayern darauf zurückblicken und Schlüsse für die Zukunft ziehen, um etwas Neues zu beginnen. So wie sie es damals im Jahr 2009 getan haben: In dem Jahr, in dem die tiefe Enttäuschung über eine der schlimmsten Niederlagen in der Champions League den Ausschlag für ein Umdenken gab. Ein Umdenken, das zunächst einmal zu Louis van Gaal führte: jenem Trainer, der die große Revolution einleiten sollte …

Kapitel 1: 2009–2012

Louis van Gaals Revolution

Um zu verstehen, was genau an van Gaals Ideen in München revolutionär war, muss man ein wenig zurückblicken. Geht es um die prägendsten Trainerfiguren zwischen den Jahren 2000 und 2010, so führt kein Weg an Carlo Ancelotti, Vicente del Bosque, Sir Alex Ferguson, Pep Guardiola, Ottmar Hitzfeld, José Mourinho und vielleicht noch Arsène Wenger vorbei. Sie alle haben den Fußball auf ihre Art und Weise geprägt. Louis van Gaal dagegen wird häufig übersehen. Dabei gehört er zu den Persönlichkeiten, die den Fußball in Europa fast kontinuierlich mitgestaltet und verändert haben.

Schon lange vor seiner Karriere an der Seitenlinie zeichnete sich ab, dass er dort einmal stehen würde. Er war zwar auch selbst auf dem Platz als Profi aktiv, doch der große Durchbruch gelang ihm hier nie. Bei Ajax Amsterdam kam er nicht über eine Reservistenrolle hinaus, und so ging es über Antwerpen, Telstar und Sparta Rotterdam zum AZ Alkmaar. Nebenher unterrichtete er als Sportlehrer an einer Berufsschule.

»Von 8.00 Uhr früh bis 2.00 Uhr nachmittags unterrichtete ich, und um 15.30 Uhr begann bei Sparta das Training«, erzählte der Niederländer der *taz*.

Van Gaal hatte es hier mit Kindern unterschiedlicher Schichten zu tun. Noch heute spricht er davon, dass ihn das für sein späteres Berufsleben geprägt hat. Ein Stück weit erklärt sich daraus auch, warum van Gaal in seiner gesamten Laufbahn am liebsten mit jungen Spielern arbeitete.

1988, nach elf Jahren, gab er seinen Nebenjob auf, weil ihn ein Ruf aus Amsterdam lockte. Sein Ex-Klub bot ihm eine Co-Trainer-Stelle im Jugendbereich an, der er nicht widerstehen konnte. 1991 stieg er zum Cheftrainer der ersten Mannschaft auf. Schnell wurde deutlich, dass van Gaal seinen Job anders als die meisten seiner Kollegen interpretierte. Er leitete nicht nur taktische und personelle Veränderungen bei Ajax ein, sondern arbeitete auch an strukturellen und organisatorischen Dingen, die den ganzen Klub betrafen. In seiner gesamten Karriere brauchte er die größtmögliche Kontrolle über alle Bereiche, um seine Ideen umzusetzen. Das führte immer mal wieder zu Konflikten – auch später bei den Bayern. Aber van Gaal war damit auch sehr erfolgreich. Mit Ajax gewann er drei Meisterschaften, dreimal den niederländischen Supercup und 1993 den niederländischen Pokal. Auf europäischer Ebene gewann er 1992 den UEFA-Pokal, 1995 war er mit Ajax Amsterdam endgültig auf dem europäischen Fußballthron. Mit dem Champions-League-Titel setzte sich van Gaal ein Denkmal in Amsterdam. Komplettiert wird diese einzigartige Zeit durch den UEFA Super Cup und den Gewinn des Weltpokals. Diese Aufzählung ist das Ergebnis einer taktisch-strategischen Meisterleistung, die erklärt, wofür der Niederländer sein Leben lang stand: »Dominant zu spielen bedeutet, mehr Torchancen zu kreieren als die gegnerische Mannschaft. (…) Ich verbinde den Begriff ›dominant‹ mit offensivem Fußball und Pressing in der Hälfte des Gegners.«

So wird der Trainer auf *Spielverlagerung.de* zitiert. Diese Vorgaben setzte seine Ajax-Mannschaft nahezu perfekt um. Ein Orkan von Kurzpassstafetten und Doppelpässen fegte über Europa hinweg.

Klar hatte Van Gaal auch einen herausragenden Kader zur Verfügung – aber was er damit anstellte, glich einer Revolution.

Das flexible Mittelfeld war der Kern dieser Mannschaft. Es bildete eine Raute und bewegte sich zwischen den zwei Dreierketten sehr variabel. Überall war Ajax in der Lage, Überzahlsituationen herzustellen und sich spielerisch Räume zu erarbeiten. Van Gaal war ihr Lehrer, ihr Meister. So paradiesische Arbeitsbedingungen wie hier würde er nirgendwo anders mehr finden: eine Konstellation aus jungen Spielern, die ihm bedingungslos folgten, und einem Klub, der ihm die Freiheit gab, auch weit über die Trainertätigkeit hinaus Entscheidungen zu beeinflussen.

Louis van Gaal war damals einer der wenigen Trainer, die früh die Zeichen der Zeit erkannten; die verstanden hatten, dass ein Fußball-Klub der Moderne anders funktionieren würde. Die Komplexität der Vereine stieg bereits damals an, und die Bereiche, in denen strukturiert gearbeitet werden musste, nahmen zu. Van Gaal verpasste Ajax wieder eine Identität. Er gab einen Weg vor, den der ganze Klub erfolgreich ging.

In den folgenden Jahren war er nicht mehr ganz so erfolgreich, konnte beim FC Barcelona aber immerhin entscheidenden Einfluss auf Spieler wie Xavi oder Puyol nehmen und die herausragende Arbeit seines Landsmannes Cruyff weiterführen. Damit wurde er zu einem Wegbereiter jener Mannschaft, die 2009 den FC Bayern in der Champions League deklassierte.

»Cruyff baute die Kathedrale. Wir halten sie nur instand«, sagte Guardiola einst. In dieses »wir« schloss er auch van Gaal mit ein, auch wenn der das niemals zugeben würde. Zweifellos steht van Gaal aber in der großartigen Entwicklungslinie derjenigen, die Barcelona zu einer der beeindruckendsten Mannschaften der Fußballgeschichte machten.

Auch beim KNVB (dem niederländischen Fußballverband) konnte van Gaal später einige wichtige Veränderungen durchsetzen: zum Beispiel eine übergeordnete Strategie im Jugendbereich, die infra-

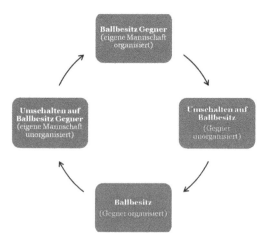

Abb. 1 *Louis van Gaals 4-Phasen-Modell (von* Spielverlagerung.de)

strukturelle und taktische Elemente beinhaltete. 2005 übernahm er dann den AZ Alkmaar. Dort bewies er eindrucksvoll, dass auch vermeintlich kleinere Mannschaften vom Ballbesitzspiel profitieren können. Zwar musste er hier den Fokus zwangsweise auch auf die Arbeit gegen den Ball legen, doch bei Alkmaar implementierte er ein spielstarkes Mittelfeld rund um den tiefen Strategen Schaars.

Zunächst verpasste van Gaal zweimal knapp die Meisterschaft. Im dritten Jahr lief es plötzlich nicht mehr so gut, und er sah sich zum Rücktritt gezwungen. Dass ihn die Spieler letztendlich umstimmten, war nicht nur ein Wendepunkt für den Klub, sondern vielleicht auch für den FC Bayern, der sonst womöglich nie auf van Gaal aufmerksam geworden wäre.

In der Saison 2008/09 wurde der AZ Alkmaar überraschend niederländischer Meister. Das war eine historische Leistung – und zugleich das Ergebnis höchster Souveränität am Spielfeldrand: Van Gaal, häufig als statischer Ballbesitzfanatiker verpönt, setzte hier ganz auf Flexibilität. Die Umschaltmomente spielten eine zentrale

Rolle. Seiner Theorie zufolge soll eine Mannschaft in längeren Ballbesitzphasen und in Phasen ohne Ball stets organisiert und sortiert sein (siehe Abb. 1). Gerade die Übergangsphasen, in denen Unordnung herrschte, waren deshalb von Bedeutung. Van Gaals Alkmaar war eine moderne Version seiner Ajax-Mannschaft in den Neunzigerjahren. Nur mit geringerer individueller Qualität und weniger Ballbesitz. Aber mit ebenso großer Dominanz: Die Meisterschaft gewannen sie mit sensationellen 80 Punkten – 11 Zähler vor Twente, 12 vor Ajax.

Diese Geschichte zeigt, warum der FC Bayern sich 2009 für van Gaal entschieden hat – eine Entscheidung, die die nächsten zehn Jahre prägen sollte. Die Münchner wollten einen Querdenker, einen Revolutionär, einen Menschen, der ihnen aufzeigt, was in der Vergangenheit falsch lief. Sie wollten aber auch einen Trainer, der die Spieler fordert und ihnen gegenüber Dominanz ausstrahlt.

Dafür war Louis van Gaal der richtige Mann. Schon in seiner ersten Pressekonferenz sagte er den heute legendären Satz: »Mia san mia, wir sind wir – und ich bin ich.«

In seiner gesamten Karriere hatte sich van Gaal bis dahin für niemanden verbogen, und das hatte er auch beim einst so großen FC Bayern nicht vor. Er war gekommen, um zu verändern und alte Strukturen aufzubrechen. Was der Vorstand von seinen jeweiligen Entscheidungen hielt, war ihm grundsätzlich egal. Die von ihm geforderte Kontrolle bekam er in München zwar nie ganz, aber es reichte aus, um Dinge entscheidend zu verändern.

Van Gaal engagierte einen Experten für die elektronische Datenvermittlung, er stellte einen Psychologen ein und ließ seine Spieler regelmäßig Fragebögen ausfüllen. Ohnehin stand die Kommunikation mit den Spielern über allem. Van Gaal und sein IT-Experte richteten ein E-Mail-System ein, mit dessen Hilfe sich die Spieler regelmäßig auf persönliche Gespräche mit dem Trainer vorbereiten konnten. Darüber hinaus implementierte er nicht nur Kameras am Trainingsplatz, sondern auch Analysetools, die ihm dabei helfen sollten, seine Philosophie schnellstmöglich umzusetzen.

In der Trainingsmethodik setzte van Gaal auf sehr viel Arbeit mit dem Ball. Komplexe, teilweise abstrakte, aber auch einfache Übungen sollten Spielsituationen simulieren, in denen die Spieler unter Druck Entscheidungen treffen mussten. Passschärfe und Passgenauigkeit sind für seine Philosophie essenziell. Auch die Einteilung des Spielfelds in Zonen musste seine Mannschaft erst erlernen. Anders als in Spanien hatte man in Deutschland noch nicht viel vom Positionsspiel gehört. Auch deshalb funktionierte die Umsetzung seiner Ideen nicht sofort. Für den FC Bayern war das alles neu. Sie waren vorher Ottmar Hitzfeld und Jürgen Klinsmann gewohnt, die ihren Teams gerade in der Positionierung mit dem Ball viele Freiheiten ließen. Das Konzept der Bayern war darauf ausgelegt, Ribéry freizuspielen. Mit Arjen Robben kam zu Beginn der Saison 2009/2010 aber noch ein weiterer Niederländer, der diesen Fokus etwas lösen sollte. Van Gaal wusste um die Klasse seiner beiden Flügelspieler, und er versuchte deshalb, sein Positionsspiel auf sie zu fokussieren.

Was ist ein Positionsspiel? Positionsspiel bedeutet, dass das Spielfeld optimal genutzt wird, indem die verschiedenen Positionen regelmäßig besetzt werden – egal von welchem Spieler. Dafür teilt van Gaal das Spielfeld in 18 Zonen ein, in denen sich seine Spieler bewegen sollen. Der Ball wird solange horizontal gespielt, bis sich eine Lücke ergibt, die durch einen Vertikalpass erreicht werden kann. Mit der Zeit versucht die Mannschaft schrittweise nach vorne zu kommen, um den Druck zu erhöhen.

Um sie perfekt einzubinden, zog van Gaal auf Hermann Gerlands Empfehlung ein weiteres Ass aus dem Ärmel: Thomas Müller.

Wir alle erinnern uns: »Müller spielt immer!« Die Begründung dafür war, dass Müller schon früh ein herausragendes Gespür für den Raum zeigte. Er war das perfekte Bindeglied einer offensiven Dreierreihe hinter dem Stürmer. Mit seinen Läufen überlud er regelmäßig die Halbräume, also den Bereich zwischen Zentrum und Flügel, und unterstützte damit die beiden Tempodribbler. Doch er bewegte sich auch in den richtigen Momenten von seinen Mitspielern weg, um Gegenspieler wegzuziehen und auf diese Weise Räume für Robben oder Ribéry zu öffnen.

Müller war schon damals ein Phänomen und der vielleicht wichtigste Spieler der Offensive. Weil er derjenige war, der die einzelnen Mannschaftsteile verbinden konnte. Damals haben das viele noch gar nicht so wahrgenommen. Den wirklichen Hype gab es um »Robbéry«. Vielleicht war das auch besser so für den jungen Müller. Gemeinsam mit Robben löste er nun ein Problem: Ribéry hatte es inzwischen deutlich schwerer, weil der Fokus der gegnerischen Defensive stets auf ihm lag und es sonst kaum kreative Ansätze gab. Mit dem Blitztransfer von Arjen Robben und der Hinzunahme Thomas Müllers sollte sich das ändern.

Bereits bei Robbens Debüt gegen den VfL Wolfsburg zeigte sich das. In der 68. Minute schickte Ribéry den Niederländer mit einem Pass in die Spitze. Robben verwandelte aus spitzem Winkel zum 2:0. Nur wenige Minuten später war es wieder das Duo, das die Arena zum Kochen brachte. Diesmal schickte Robben den Franzosen, und Ribéry legte nach kurzem Dribbling wieder quer für Robben auf: 3:0. Das Besondere an diesen Szenen war, dass sie nicht aus längeren Ballbesitzphasen entstanden, sondern durch das Ausnutzen von Umschaltmomenten. Und zwar in Perfektion! Ein Paradebeispiel dafür, dass van Gaal keinesfalls für stumpfen Ballbesitz und Quergeschiebe stand, sondern auch auf solche Situationen viel Wert legte. Es war zudem die Geburtsstunde des besten Flügelduos seiner Zeit: »Robbéry«. Zwei prägende Spieler, die auch in den kommenden Kapiteln zu den Protagonisten zählen werden.

Trotzdem dauerte es eine ganze Weile, bis die Bayern ihr neues, auf Dominanz ausgelegtes System umsetzen konnten. Van Gaal integrierte nicht nur junge Spieler wie Thomas Müller und Holger Badstuber, er setzte auch plötzlich Philipp Lahm auf der rechten Außenverteidigerposition ein und schob Bastian Schweinsteiger vom Flügel in die Zentrale: alles Entscheidungen, die aus heutiger Perspektive selbstverständlich klingen, damals aber viel Mut erforderten.

Gerade die Schaltzentrale mit dem kreativen Schweinsteiger und dem dynamischen Abräumer Mark van Bommel funktionierte sehr gut. Badstuber war auf der linken Seite kein klassisch offensiver Außenverteidiger; er tat aber das Nötigste, um Ribéry vorne zu unterstützen. Außerdem war sein Passspiel so gut, dass er von dort aus das Spiel eröffnen konnte. Gegen den Ball sorgte er für Stabilität.

Auf der anderen Seite wuchs unterdessen mit Philipp Lahm und Arjen Robben ein Traum-Duo heran. Lahm hinterlief Robben immer und immer wieder, sodass es zu einem »Trademark-Move« wurde. Er war unermüdlich; egal, wieviel Kraft es kostete.

Und dann war da dieser Müller, der irgendwie überall war: kein klassischer Zehner, aber ein Segen für die komplette Mannschaft.

Van Gaal hatte für jeden seiner Spieler eine passende Rolle gefunden, auch wenn der Erfolg noch auf sich warten ließ. Die Art und Weise, wie sich die Mannschaft bewegte, war gänzlich neu: viel harmonischer als früher, viel strukturierter. Die Spieler bildeten fast auf dem ganzen Platz Dreiecke. Nie in Perfektion, aber immer so, dass jeder Spieler häufig zwei oder gar drei Anspielstationen hatte. Van Gaal hatte nicht auf jeder Position den besten Spielertypen für seine Philosophie zur Verfügung, aber er wusste mit dem Vorhande-

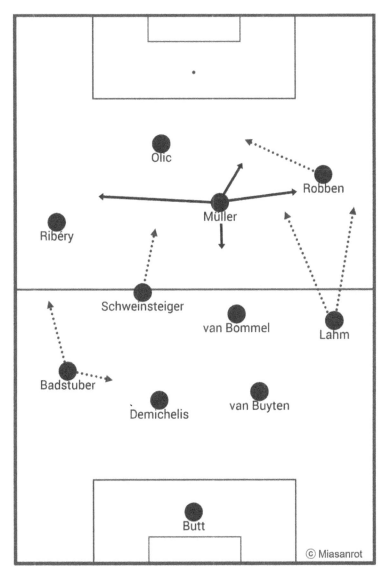

Abb. 2 *Louis van Gaals System: Müller als freies Element, Schweinsteiger als vorstoßender Stratege, die Außenverteidiger asymmetrisch.*

nen zu arbeiten. Er gab ihnen Lauf- und Passwege an die Hand, arbeitete individuell und im Team hart daran, diese umzusetzen.

Gerade die Fehler, die die Mannschaft am Anfang der Saison noch machte, waren für die Entwicklung wichtig. Van Gaal verstand es, den Druck von der Mannschaft zu nehmen: medial aber auch intern. Damit schützte er Spieler wie Badstuber oder Müller, die vielleicht mental noch nicht für diesen hohen Druck bereit waren. Louis van Gaal ging aber auch hart mit seinen Spielern ins Gericht, wenn er es für nötig hielt. So gab es für Arjen Robben in Bremen mal Ärger in der Halbzeitpause, weil er bei einer eigenen Ecke nicht die Defensive abgesichert hatte. Konsequenz: Der Niederländer sollte nun die Standards selbst ausführen und erzielte in der zweiten Halbzeit ein wunderschönes Freistoßtor. Somit hatte sich der Ärger doch noch gelohnt …

Die Punkte, die der FC Bayern zu Beginn der Saison durch die Umstellung liegen ließ, sollten schnell wieder eingefahren werden. Denn van Gaals Arbeit machte sich relativ schnell bezahlt. Leverkusen wurde zwar Herbstmeister, hatte aber nur zwei Punkte Vorsprung auf die Bayern. In der Rückrunde verlor van Gaals Mannschaft in der Bundesliga nur noch zwei Spiele. Gerade in den wichtigen Direktvergleichen mit Schalke und Leverkusen konnte die Mannschaft vier Punkte holen. Die Spieler hatten sich an van Gaal, seine Ideen und an die Vorgaben gewöhnt.

Doch es gab auch wichtige emotionale Situationen. Beispielsweise in der Gruppenphase der Champions League. Dort hatten die Bayern nach fünf Spieltagen nur sieben Punkte auf dem Konto. Bordeaux zog mit 13 Punkten davon, Juventus hatte acht Zähler. Für Louis van Gaal bedeutete das quasi ein vorgezogenes Finale. Ausgerechnet in Turin. Ausgerechnet gegen Juve: Die Italiener hatten seiner Mannschaft schon im Hinspiel das Leben zur Hölle gemacht.

Hätte Bayern dieses Spiel verloren, wäre vielleicht die gesamte Saison den Bach runtergegangen und van Gaal entlassen worden. In jedem Fall wäre dann die weitere Zukunft ungewiss gewesen. Doch die Bayern haben nicht verloren. Sie zeigten im Gegenteil eine ihrer beeindruckendsten Saisonleistungen. Trotz eines frühen Rückstands gewannen sie in Turin mit 4:1. Ein surreales Ergebnis: Es hätte auch anders laufen können. Hinten stand die Mannschaft gewiss nicht immer sehr gut. Aber der Wille, die Einstellung und die Bereitschaft, van Gaals taktische Vorgaben umzusetzen, brachten letztendlich den entscheidenden Vorteil.

Es lief nicht alles perfekt, doch ab dieser Partie hatte man das Gefühl, dass alles für die Bayern lief. Van Gaal hatte die Spieler endgültig auf seine Seite gebracht, die taktischen Grundlagen waren da, Rückschläge wurden immer besser weggesteckt. Gerade das ständige Wiederaufstehen nach Misserfolgen wurde eine große Qualität.

Im Achtelfinale der Champions League kassierten die Bayern nach einem 2:1-Erfolg im Hinspiel in Florenz drei Gegentore. Lediglich zwei Treffer aus der Distanz brachten ihnen das Ticket für die nächste Runde.

Dort war der FCB gegen Manchester United Außenseiter. Van Bommel wäre vor dem Hinspiel schon mit einem torlosen Unentschieden zufrieden gewesen. Fans und Klub fürchteten sich vor einer Wiederholung der Ereignisse im Vorjahr. Auch das legendäre Finale im Jahr 1999 sorgte für besondere Emotionen. Diesmal wurde aber schon im Hinspiel deutlich, dass sich dieser FC Bayern nicht verstecken musste. Gegen den Finalisten aus dem Vorjahr zeigte van Gaals Mannschaft eine engagierte Leistung. Zwar ging United durch eine Standardsituation früh in Führung, doch die Bayern waren das aktivere Team. Schon bei Ribérys verdientem Ausgleich in der 77. Minute war ganz München in Feierlaune. Ein Gefühl der Ebenbürtigkeit entstand. Erstmals seit längerer Zeit gelang es den

Bayern, auf Augenhöhe mit einer großen Mannschaft zu agieren. Die Messlatte mag nicht so hoch gewesen sein wie gegen Barcelona im Jahr zuvor. Aber sie war hoch genug, um daraus Schlüsse zu ziehen. Alle Sorgen, alle Anspannung, alle Zweifel, die auch mich diesmal wieder plagten, verschwanden mit diesem einen Treffer von Ribéry. Denn die Mannschaft hatte sich diesen Ausgleich verdient. Aber es war noch nicht zu Ende. Einen speziellen Moment hatte diese Partie noch übrig.

Als sich schon alle mit dem 1:1 abfinden wollten, setzte Mario Gómez noch einmal zum Dribbling an. Im ersten Moment dachte ich nur: »Mario, was machst du da?« Er tankte sich gegen fünf Spieler durch, verlor dann den Ball. Allerdings schien sich kein Abwehrspieler der Red Devils dafür verantwortlich zu fühlen, und so übernahm Olić die Kugel, die er überlegt an van der Sar vorbeischob. Ekstase. Wie sehr hatte ich es doch vermisst, dass meine Mannschaft in der Champions League wieder eine Rolle spielen konnte!

Eine Achterbahnfahrt der Gefühle, die die gesamte Saison zu prägen schien. Die Mannschaft steigerte sich von Spiel zu Spiel und war zunehmend in der Lage, mit Drucksituationen umzugehen. Das zeigte sich auch im Rückspiel. Manchester drehte in der Anfangsphase auf und erzielte in wenigen Minuten drei schnelle Tore.

Plötzlich waren die Erinnerungen an das Vorjahr wieder präsent.

War das 2:1 im Hinspiel doch nur eine Illusion?

Nein. Bayern kämpfte sich zurück in die Partie. Kurz vor der Pause erzielte Olić das 3:1, und plötzlich war es nur noch ein Treffer, der zum großen Glück fehlte. Ein Treffer, der nicht nur »fallen« sollte, sondern der wie ein Gemälde entstand: Ecke Ribéry, Volley Robben, Traumtor. Erneute Ekstase.

»Ein unfassbares Tor«, brüllte Wolff-Christoph Fuss in die Mikrofone von *Sat1*. Bayern schlug Juventus Turin, Bayern schlug Florenz, Bayern schlug nun auch Manchester United, und im Halbfinale war

Lyon sogar noch die kleinste Hürde. Dass es letztendlich im Finale nicht zur absoluten Spitze reichte, war trotz aller Lobeshymnen irgendwie absehbar. José Mourinhos Inter Mailand war einfach zu abgebrüht, zu erfahren – und zu gut besetzt. Der gesperrte Franck Ribéry fehlte den Bayern an allen Ecken und Enden. Trotzdem boten die Münchner in diesem Finale keine schlechte Leistung. Es reichte nur einfach noch nicht. Man stand erst am Anfang einer Ära, während Inter Mailand bereits auf dem Zenit war. Das sind Momente, in denen man auch als Fan einfach den Hut vor einer großartigen Mannschaft ziehen und Anerkennung zeigen muss.

Schon am Tag darauf präsentierte sich das gesamte Team auf dem Rathausbalkon am Marienplatz. Es war bereits das zweite Mal nach der Meisterschaftsfeier einige Wochen zuvor. Von Enttäuschung konnte keine Rede sein. Als ich rund ein Jahr zuvor fassungslos vor dem Fernseher saß und Barcelona dabei zusah, wie sie den FC Bayern deklassierten, hätte ich mir in den nächsten fünf Jahren kein einziges Champions-League-Finale mehr erträumen können. Jetzt aber faszinierte die Mannschaft ihre Fans mit attraktivem, strukturiertem Ballbesitzfußball. Die von van Gaal geforderten Umschaltmomente wurden immer besser antizipiert und genutzt. Es entstand eine Mannschaft, die einen Fußball spielte, den es so beim FC Bayern noch nicht zu sehen gab. Louis van Gaal schaffte eine Revolution in München. Er setzte eine Idee davon um, wie moderner Fußball funktioniert. Sein System stand über den Spielern, die er perfekt integrierte.

Es ist nicht so, dass van Gaals Vorgänger keine Ideen mitgebracht hätten. Aber sie passten entweder nicht zur Komplexität des Fußballs oder nicht zum Kader. Der FC Bayern verstand erst um 2008 herum, dass sich die Verhältnisse grundlegend verändert hatten. Mit Klinsmann scheiterte ein Abenteuer, das den gesamten Verein umkrempeln sollte. Er hatte zwar keinen Erfolg, aber die richtige Idee: Der FC Bayern musste sich modernisieren, und van Gaal ging es dann richtig an. Er hatte die nötigen Erfahrungen, um einen derart großen Verein auf allen Ebenen zu modifizieren. Natürlich halfen ihm dabei auch einige Zufälle. Es wäre müßig, darüber zu diskutieren, ob eine weniger erfolgreiche erste Saison zu einem erneuten Umdenken geführt hätte. Denn sie war eben so erfolgreich, wie sie war: Louis van Gaal führte den FC Bayern nach 2001 wieder in ein Champions-League-Finale und schaffte das Double. Wie sehr die Bayern den Erfolg genossen, zeigte sich nicht zuletzt an den vielen Partybildern. Van Gaal avancierte zum »Feierbiest«, und rund 20 000 Bayern-Fans feierten am Marienplatz mit ihm.

In der Nacht von Barcelona wären solche Bilder undenkbar gewesen. Nun stand der FC Bayern wieder in der Sonne – und doch auch erst am Anfang eines Weges, auf dem noch einige Hürden zu bewältigen waren …

Sportliche Stagnation?

Trotz aller Erfolge, und obwohl sich die Mannschaft unter van Gaal aus taktisch-strategischer Perspektive immer weiterentwickelte, blieben im Jahr darauf die entsprechenden Ergebnisse aus. Hinzu kamen menschliche Probleme. Denn Louis van Gaal, das wurde bereits erwähnt, will sich für niemanden verbiegen. Wenn er eine Entscheidung trifft, dann müssen die Argumente der Gegenseite schon sehr gut sein, um ihn davon abzubringen. Das betont er noch heute. In der Öffentlichkeit gilt der Niederländer deshalb als stur und dickköpfig. Er selbst bezeichnet sich als konsequent und anpassungsfähig. Die Wahrheit liegt vermutlich, wie so oft, irgendwo in der Mitte. Allein die Vielzahl an Experten, die van Gaal nach

München mitbrachte, um seine Arbeit zu unterstützen, zeigt, dass er sicher nicht beratungsresistent ist. Solange die Diskussion auf Augenhöhe stattfindet und ihn die Argumente der anderen überzeugen, lässt er sich gerne mal umstimmen. Aber gerade mit Uli Hoeneß hatte er seine Probleme. Später berichtete van Gaal, dass der Bayern-Boss ihm ständig in die Aufstellung hineinreden wollte. Seine Entscheidung für Müller wurde ebenso hinterfragt wie der Seitenwechsel Lahms oder die Hereinnahme David Alabas. Zur Frau des Trainers soll Hoeneß mal gesagt haben, dass ihr Mann falsch aufgestellt habe. Diese Differenzen gab es bereits in der ersten Saison. Sie waren lediglich nicht so ein großes Thema, weil auch Hoeneß wusste, dass der Erfolg dem Trainer recht gab.

Auch Mark van Bommel, seinerzeit Kapitän beim FC Bayern, hatte große Probleme mit seinem Landsmann. Ende 2010 eskalierte die Situation. »Ich habe meine Teamkollegen immer verteidigt. Wenn er jemanden ohne Grund attackiert hat, habe ich ihm ganz klar meine Meinung gesagt«, so van Bommel 2017 in der Münchner *Abendzeitung*. Nach eigener Aussage verließ der Kapitän die Kabine nach einem besonders großen Streit mit Tränen in den Augen. Er habe gewusst, dass seine Zeit bei den Bayern nun vorbei sei. Noch in der Winterpause wechselte er zum AC Mailand. Dass ein Kapitän während der Saison den Verein verlässt, war für den FC Bayern ein absolutes Novum. Für van Gaal bedeutete das, dass er mehr denn je unter Erfolgsdruck stand. Die Rückendeckung im Klub wurde geringer. Einzelne Spieler fingen an, an ihm zu zweifeln. Mark van Bommel war als Mensch und Spieler in der Vorsaison ein absoluter Leistungsträger gewesen. Luiz Gustavo, der als Ersatz für 17 Millionen Euro verpflichtet wurde, mag fußballerisch auf gleicher Ebene gespielt haben, aber van Bommel war eben nicht nur auf dem Platz wichtig für das Spiel gewesen, sondern auch als Kapitän der Mannschaft ein entscheidendes Bindeglied, das den jungen Spielern Halt gab und den Stars zum richtigen Zeitpunkt auch mal in den Hintern treten konnte. Nicht zufällig war Mark van Bommel der erste ausländische Kapitän beim FC Bayern – eine noch unter Jürgen Klinsmann übertragene Ehre, die er sich voll und ganz verdient hatte.

An Louis van Gaal allein lag es aber auch nicht, dass die Situation so war, wie sie war. Gefühlt verbrachte der Klub den Sommer im Freudentaumel und hangelte sich von Party zu Party. Die Bayern genossen den Platz an der Sonne zu sehr und ignorierten dabei, dass der Erfolg im Vorjahr vieles überdeckte. Zwar agierte die Mannschaft immer sicherer mit dem Ball – sie leistete sich aber auch immer noch zu viele leichtfertige Ballverluste. Die Konterabsicherung war nicht perfekt, auf einigen Positionen hätte es eine Neubesetzung gebraucht. Die zu erwartende Formschwäche einiger Nationalspieler nach der Weltmeisterschaft wurde ignoriert. Eine große Baustelle war beispielsweise die linke Abwehrseite. Badstuber bedeutete hier keine dauerhafte Lösung, weshalb er für Martín Demichelis in die Innenverteidigung rückte. Aber auch dort war der Kader ungünstig besetzt. Demichelis verlor deutlich an Niveau, auch van Buyten war nicht mehr so handlungsschnell wie früher. Neben Badstuber gab es dann nur noch Breno, der aus Nürnberg zurückkehrte, sein Talent aber nie wirklich unter Beweis stellen konnte. Links war Diego Contento gesetzt. Eine mutige Entscheidung. Sein Ersatz war Danijel Pranjic, der zwar offensiv für Impulse sorgte, aber defensiv nicht immer sicher stand.

Die erste Elf hatte immer noch die nötige Klasse, doch sobald sich eine Formschwäche oder Verletzungen breitmachten, war von der Qualität der Vorsaison nur noch wenig zu sehen. Denn man hatte den Zeitpunkt verschlafen, um den Kader breiter aufzustellen. Und so kam es, wie es kommen musste. Badstuber fiel mittelfristig aus, Contento verletzte sich zweimal schwerer, Robben verpasste die

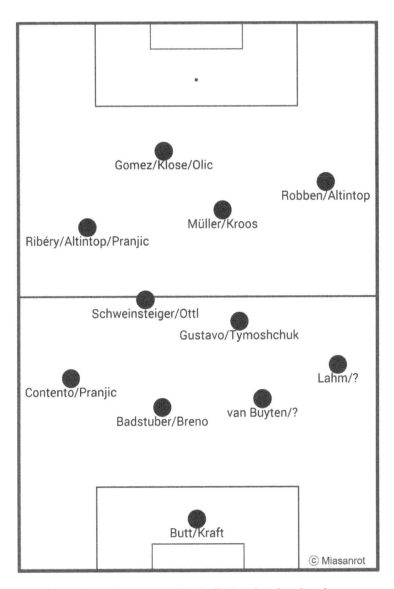

Abb. 3 *Der Kader war speziell in der Rückrunde viel zu dünn besetzt. Gerade in der Abwehr gab es zu wenige Alternativen.*

komplette Hinrunde – auch Ribéry fiel den größten Teil des ersten Halbjahres aus. Auf Olić konnte van Gaal sogar fast die gesamte Saison nicht zurückgreifen. Darüber hinaus wurde David Alaba zur Winterpause nach Hoffenheim verliehen, und Demichelis wechselte nach Málaga.

So bekam der FC Bayern weder Konstanz in seine Leistungen, noch war es mit dem vorhandenen Personal möglich, die Ausfälle zu kompensieren. Schweinsteiger lief im Zentrum auch wegen einer langen WM seiner Form hinterher. Van Bommels Wechsel machte das Ganze nicht leichter – zusätzlich belastet wurde die Situation auch noch dadurch, dass die Öffentlichkeit immer etwas über die Differenzen des Trainers mit dem Vorstand erfuhr.

Anfang März stand der FC Bayern auf dem fünften Tabellenplatz der Bundesliga. Auf der europäischen Bühne hatte man auswärts immerhin schon Inter Mailand mit 1:0 besiegt und sich so Chancen auf das Viertelfinale der Champions League ausgerechnet. Insgesamt aber war der Klub bislang weit unter den Erwartungen geblieben. Deshalb beschloss der Vorstand, sich im Sommer von Louis van Gaal zu trennen. Die Begründung für diesen Beschluss – dass man sich über die strategische Ausrichtung nicht einig wäre – passte durchaus ins Bild. Da war van Gaal auf der einen Seite, der die größtmögliche Kontrolle über alle Bereiche haben wollte, und Uli Hoeneß auf der anderen, der Patriarch des FC Bayern, der sich von niemandem die Macht nehmen lässt. Diese Konstellation hatte von Anfang an Eskalationspotenzial. Und doch gab es weiterhin die Hoffnung, dass van Gaal wenigstens die Minimalziele erreichen könnte.

Aber die Probleme waren einfach zu groß. Als die Bayern schließlich gegen Inter Mailand ausschieden, war dies ein Spiel, das die gesamte Saison der Münchner perfekt zusammenfasste: Trotz eines frühen Rückstands ergriff die Mannschaft von Louis van Gaal die Initiative. Dass es zur Halbzeit nur 2:1 für den deutschen Rekordmeister stand, war eigentlich ein Witz. Auch nach der Pause war der FCB klar besser als sein Gegner. Aber wegen kleiner Unkonzentriertheiten und etwas Pech auf der Bayernseite gelang Inter der Ausgleich sowie kurz vor Schluss die Entscheidung. All das Glück, das die Bayern in der vorherigen Saison auf ihrer Seite hatten, verwandelte sich nun in ein absurdes Pech.

In den Medien wurde Louis van Gaal für sein zu statisches und vorhersehbares Spiel kritisiert. Der Kontrast zu den Borussen unter Jürgen Klopp, der die Menschen mit Tempofußball nach Ballgewinnen zu begeistern wusste, war in der Tat riesig. Es ist auch durchaus richtig, dass van Gaals Positionsspiel etwas Statisches hatte. Dadurch kam es zu Ballverlusten, die wiederum nicht gut genug verteidigt wurden. Dem Team fehlte es in beiden Umschaltmomenten an Handlungsschnelligkeit. Das lag zwar nur zum Teil am Trainer, der sich aber zumindest vorwerfen lassen muss, dass er für das vorhandene Personal diesmal nicht die perfekten Rollen fand. Van Gaal passte seine taktischen Mittel zwar immer mal wieder an, fand aber nicht den Schlüssel, um aus der Abwärtsspirale herauszukommen. Und je häufiger die gewünschten Ergebnisse ausblieben, umso mehr zweifelten auch die Spieler an ihrem Trainer. So blieb dem Klub Anfang April keine andere Wahl, als den Niederländer zu entlassen. Hoeneß warf ihm Beratungsresistenz vor, van Gaal konterte: »Niemand ist größer als der Verein, auch Uli Hoeneß nicht.« Das erinnert an jenes »Ich bin ich«, mit dem er schon auf seiner ersten Pressekonferenz deutlich gemacht hatte, was München erwarten würde.

All die Differenzen hatten aber auch etwas Gutes. Hätte van Gaal nicht an seinen Visionen gearbeitet, hätte er sich gar von Uli Hoeneß verbiegen lassen, wäre der Klub heute vielleicht nicht da, wo er ist. Louis van Gaal und der FC Bayern – das war gewiss kein perfektes Match, aber es war eine notwendige Zusammenarbeit. Auf van Gaals Errungenschaften konnte nicht nur sein direkter Nachfolger aufbauen, sondern auch noch Pep Guardiola. Van Gaal richtete den Klub für die Zukunft aus. Heute sagt er, dass der Trainer der Anführer der Mannschaft sei, auch wenn Hoeneß selbiges von sich denken würde. Persönlichkeit, Philosophie und Verhalten des Trainers machen für ihn den Unterschied. Das kann durchaus als Seitenhieb in Richtung Uli Hoeneß gewertet werden, aber auch der Fußballexperte Tobias Escher schrieb in seinem Buch »Die Zeit der Strategen. Wie Guardiola, Löw, Mourinho und Co. den Fußball neu denken«, dass der Trainer heute das kleine Rädchen im Zahnradgetriebe Fußball sei, um das sich alle anderen Räder drehen würden. So war es in jedem Fall bei Louis van Gaal. Er war der Mittelpunkt des Erfolgs. Will man die Ursprünge der goldenen Ära des FC Bayern und der Generation Lahmsteiger erforschen, führen alle Wege zu ihm. Das kann ihm heute keiner mehr nehmen. Auch wenn seine Erfolge schnell verflogen und der Disput mit Hoeneß über allem schwebte, so hat er den FC Bayern doch nachhaltig verändert.

Nach van Gaals Entlassung übernahm zunächst dessen Co-Trainer Andries Jonker das Steuerrad, aber schon Ende März war klar, dass im Sommer Jupp Heynckes kommen würde. Die direkte Qualifikation für die Champions League gelang den Münchnern nicht mehr, aber immerhin erreichten sie noch den dritten Platz, der sie in die Qualifikationsrunde der kommenden Saison brachte. Das war deshalb wichtig, weil das Champions-League-Finale im darauffolgenden Jahr in München stattfinden sollte. Dieses Ziel wirkte zunächst noch unfassbar weit weg. Aber dass die Saison 2009/10 keine Ausnahme war, zeigten die Bayern auch im Jahr 2011. Nur nicht konstant genug. Und so ging eine turbulente Spielzeit zu Ende, die in den Erzählungen oft ausgeblendet wird, obwohl die Bayern damals viel daraus lernen konnten.

Heynckes zum Dritten

Eine erfolgreiche Saison des FC Bayern wird von vielen fast ausschließlich über Titel definiert. Eine solche Erwartungshaltung hat sich der Klub in der jüngeren Vergangenheit hart erarbeitet. Das führt aber auch dazu, dass eine Spielzeit ohne Titel Konsequenzen haben muss. Im Fall von Louis van Gaal war das Opfer schnell gefunden. Umso wichtiger war es Uli Hoeneß, nach dem Projekt Klinsmann und dem Fußballlehrer van Gaal wieder jemanden zu holen, der den Klub kennt, der erfahren ist und der die Stimmung im Team und im ganzen Verein umdrehen kann. Jemand, der keine großen Zukunftsvisionen mitbringt, sondern im Jetzt lebt und den Klub nicht auf Links drehen möchte. Eben jemand wie Heynckes, der gerade in der Endphase seiner Trainerkarriere dafür bekannt war, mit dem Vorhandenen zu arbeiten und jede seiner Mannschaften an ihr Limit zu führen. Für Hoeneß war das auch eine Art Wiedergutmachung.

Heynckes übernahm die Bayern im Sommer 2011 zum dritten Mal. 1987 hatte er sich in München erst mal mit einem Witz vorgestellt. Bei Borussia Mönchengladbach hätte er sich nach einem Titelgewinn immer eine Zigarette genehmigt. Dazu war es über acht Jahre lang nicht mehr gekommen – deshalb hoffe er, so Heynckes, dass es beim FC Bayern wieder häufiger die Gelegenheit dazu geben würde.

Allerdings hatte sein neuer Klub gerade dreimal in Folge die Meisterschaft gewonnen. Entsprechend hoch waren die Erwartungen, auch wenn das Gesetz der Wahrscheinlichkeit dagegen sprach: Bislang hatte nämlich noch keine Mannschaft einen vierten Meistertitel in Folge nachlegen können. Auch Heynckes gelang dieser Triumph nicht. In seiner Debüt-Saison wurde sein Team Vizemeister hinter Bremen. 1989 und 1990 holte er die Schale dann zurück nach München. Und bei der Meisterfeier 1990 auf dem Marienplatz machte der Trainer den Fans sogar noch ein großes Versprechen: »Nächstes Jahr holen wir den Europapokal!« Allerdings machte ihm der spätere Sieger des Wettbewerbs, Roter Stern Belgrad, im Halbfinale einen Strich durch die Rechnung. So musste Heynckes am 12. Spieltag der Saison 1991/92 seine Sachen packen. Hoeneß sprach später vom größten Fehler seines Lebens.

2009 kehrte Heynckes zurück an die Säbener Straße. Allerdings nur als Retter für wenige Spieltage. Er war die Lösung zwischen Klinsmann und van Gaal, aber er wusste auf Anhieb zu überzeugen. Eigentlich war er bereits im Ruhestand, doch für seinen guten Freund Uli Hoeneß war ihm kein Dienst zu schade. Dabei kam er offenbar noch einmal auf den Geschmack, denn anschließend nahm er noch einen Job bei Bayer Leverkusen an, ehe er im Sommer 2011 seine dritte Chance bei den Bayern erhielt, um sein großes Versprechen endlich einzulösen. Schnell zeigte sich, dass der FC Bayern mit ihm erneut eine goldrichtige Entscheidung getroffen hatte. Anders als van Gaal, der den direkten Weg mit dem Kopf durch die Wand bevorzugte, wusste Heynckes genau, an welchen Stellschrauben er drehen musste, um seine Ziele zu erreichen.

Für viele in der Öffentlichkeit war klar, dass van Gaals Ballbesitzfußball wieder in die Schublade gehörte. Heynckes stand aber nie für eine spezielle Philosophie, sondern er passte sich gern den Umständen an. Das tat er auch in München. Entgegen vieler Erwartungen und Vermutungen nahm der Ballbesitzwert der Bayern unter ihm sogar noch zu. Im Vergleich zu van Gaal passte der damals 66-Jährige aber das zu statisch gewordene Positionsspiel der Mannschaft an. Heynckes baute eine asymmetrische Rollenverteilung ein und organisierte das Pressing neu.

Was bedeutet Asymmetrie im Fußball? *Grundformationen wie das 4-4-2 haben im Fußball meist eine klare Anordnung und Raumverteilung: eine horizontale Viererkette, noch eine horizontale Viererkette und zwei Stürmer vorne. Trainer wie Heynckes lieben es, ihre Formation asymmetrisch auszurichten. So kann beispielsweise der linke Flügelstürmer höher positioniert sein als der rechte. Das sorgt dafür, dass Spieler dort auftauchen, wo sie der Gegner nicht erwartet. Außerdem können so Zonen überladen werden, die der Trainer besonders bespielen möchte, während andere eher abgesichert werden.*

Schon früh in der Saison waren die Münchner der Konkurrenz aus Dortmund enteilt. Auch in der Champions League lief es in einer Gruppe mit Manchester City, Neapel und Villareal äußerst gut. Das lag auch an Schweinsteiger, der für die Bayern zunehmend wieder der Spieler wurde, der 2010 so entscheidend für das Erreichen des Champions-League-Finals war. Er verteilte die Bälle, bestimmte den Spielrhythmus und steuerte das Pressing der Bayern. Die Rolle eines Leaders nahm er jetzt endgültig an: zwar nicht als klassischer Effenberg, der sein Team stets mit klaren, lauten Ansprachen antrieb, aber als das Herz eines Spiels, dessen Situationen er schon lesen konnte, bevor sie eintrafen. Später hob Heynckes ihn auf eine Stufe mit Sergio Busquets vom FC Barcelona. Ein größeres Lob gibt es nicht. Vielen war das 2011 und 2012 noch gar nicht so bewusst. Doch als sich Schweinsteiger im November 2011 am Schlüsselbein verletzte, wurde seine Rolle für die Mannschaft überdeutlich. Zu Hause gegen Dortmund (0:1) und in Mainz (2:3) verloren die Bayern vor allem deshalb, weil er fehlte. Auch das Achtelfinal-Hinspiel der Champions League gegen den FC Basel ging ohne Schweinsteiger mit 0:1 verloren. Die Mannschaft von Jupp Heynckes wurde immer anfälliger für Konter und konnte ihr dominantes Spiel nicht mehr so durchdrücken wie zu Beginn der Saison. Schweinsteiger wurde in der Folge auch nicht mehr richtig fit. Im Rückspiel in Dortmund ging es bereits um die Meisterschaft. Der BVB hatte den Rückstand längst aufgeholt und die Bayern sogar drei Punkte hinter sich gelassen. Hätte der Münchner Rekordmeister das Spiel gewonnen, wäre der Druck auf die Borussia im darauffolgenden Derby gegen Schalke unendlich groß gewesen.

Doch sie gewannen nicht. Dortmund offenbarte den Bayern große Schwachstellen. Schweinsteiger konnte nur 29 Minuten spielen, in denen sein Einfluss nicht mehr ausreichte. Es war gewissermaßen der Beginn vieler dramatischer Einzelgeschichten. Während Schweinsteiger seiner Mannschaft aufgrund fehlender Fitness nicht helfen konnte, schrieb auch Arjen Robben weiter an seinem persönlichen Drama. In Dortmund vergab er vom Elfmeterpunkt nicht nur den möglichen Ausgleich und die damit verbundene Chance auf den Titelgewinn. Beim Gegentor sorgte er auch noch zusätzlich dafür, dass keine Abseitsposition vorlag. Obwohl die Bayern an diesem Abend ihre Chancen auf die Meisterschaft als Kollektiv verloren, sollte diese besondere Geschichte noch viele Jahre für Aufsehen sorgen und sich in den folgenden Wochen sogar zuspitzen.

Für Heynckes war dieses Spiel nur der Tiefpunkt eines Umschwungs, den er seit November erlebte. Quasi mit dem Ausfall Schweinsteigers war in München die große Krise ausgebrochen. So schrieb der *Focus* im März 2012: »Es geht dahin mit dem FC Bayern: Trainer Jupp Heynckes hat nur einen Plan A, und selbst der ist nicht durchdacht.« Im Kern geriet den Bayern Anfang 2012 die nachlässige Transferpolitik zum großen Nachteil. Schon nach dem Finale 2010 hatte man es verpasst, den Kader breiter aufzustellen: Das Standing und die Mittel waren vorhanden. Heynckes musste sich trotz der fehlenden Optionen ankreiden lassen, dass er nicht früher reagierte, sich nicht an die Situation anpassen konnte. Allerdings wurde damals auch viel geschrieben und gesagt, was schlicht nicht der Realität entsprach. Dortmund gewann verdient zwei Meisterschaften in Folge. Sie hatten das konstantere und bessere strategische Grundgerüst. Das musste auch in München anerkannt werden. Bayern war unter Heynckes keinesfalls schlecht, nur nicht konstant genug. Ähnlich wie van Gaal hatte auch der neue Trainer damit zu kämpfen, dass ihm die Optionen fehlten, um Rückschläge adäquat zu verkraften. Dennoch erreichten die Bayern das Pokalfinale und das »Finale dahoam« in München.

Auf diesen einen Moment hatte der gesamte Klub seit Monaten und Jahren hingearbeitet. Als Bastian Schweinsteiger dann im Halbfinale der Champions League in Madrid den entscheidenden Elfmeter im gegnerischen Netz versenkte und damit den Traum vom Heimsieg in der Königsklasse aufleben ließ, brachen in München alle Dämme. Im Jahr 2011 fiel es wie 2009 nach der Entlassung van Gaals ebenso schwer zu glauben, dass das Finale in der heimischen Allianz Arena ein realistisches Szenario sein könnte. Doch mittlerweile sprach vieles für einen historischen Erfolg. Im Achtelfinale (Basel) und Viertelfinale (Marseille) hatte man in der schwierigsten Saisonphase etwas Losglück. Pünktlich zum Duell mit Mourinhos Real Madrid war dann die Form zurück. In zwei packenden Duellen lieferten sich die Mannschaften einen offenen Schlagabtausch, bis es ins Elfmeterschießen ging. Der letzte Schütze war Bastian Schweinsteiger. Sein Gang zum Elfmeterpunkt wurde gefühlt immer länger. Alles lag an ihm. Der Druck, den er in diesem Moment spürte, ist nicht in Worte zu fassen. Das Santiago Bernabéu – ein Stadion, das jeden Gegner in Angst und Schrecken versetzen kann – vibrierte förmlich vor Spannung. Schweinsteiger lief an. Schweinsteiger traf. Das Stadion schwieg. Lediglich ein paar tausend angereiste Fans in Rot feierten.

Ihr Held, Bastian Schweinsteiger, der Fußballgott, verwirklichte den ganz großen Traum. Und auch das zweite Halbfinale machte den Bayern Hoffnung. Barcelona unterlag Chelsea, und so war der Finalgegner nicht Guardiolas übermächtig wirkende Mannschaft, sondern ein Team, das eine ähnlich durchwachsene Saison hinter sich hatte wie die Bayern selbst. Das roch sogar nach einer leichten Favoritenrolle für den FCB. Mit nur einem Spiel hatte Heynckes die Chance, sich unsterblich zu machen und ein Versprechen einzulösen, das seit dem Jahr 1991 offen war.

Zwei große Niederlagen

Die Redewendung »es sollte nicht sein« gibt nicht einmal im Ansatz wieder, was dann im Saisonfinale passierte. Ja, die durchwachsenen Leistungen im Frühjahr und die beiden verlorenen Meisterschaften waren nicht nur herbe Rückschläge für die Bayern gewesen, sondern auch eine Machtdemonstration des BVB. Von einem Wechsel an der Spitze des deutschen Fußballs war die Rede. Dortmund gewann nicht nur die direkten Duelle mit dem Rekordmeister, sondern auch die Titel. Psychologisch war das Pokalfinale mit dem Rivalen für die Münchner deshalb aus mehreren Perspektiven eine schwierige Angelegenheit. Da waren nicht nur die Zweifel, ob der BVB überhaupt zu schlagen sei, sondern auch die angesprochenen Einzelschicksale. Robbens verschossener Elfmeter im Bundesliga-Endspurt und andere unglückliche Auftritte hatten Wirkung gezeigt. Der Niederländer war nicht nur einer der wichtigsten Offensivspieler seines Teams, sondern auch ein Antreiber und Führungsspieler mit unfassbarem Ehrgeiz. Trotzdem hatte man das Gefühl, dass ihm und dem FC Bayern das nötige Selbstverständnis fehlte. Nicht zuletzt hatten die Spieler natürlich vor allem das

Champions-League-Finale gegen Chelsea im Kopf, das nur eine Woche später stattfand.

Dortmund ritt dagegen gerade auf einer Euphoriewelle, die kaum aufzuhalten schien. Das zeigte sich auch im Finale des DFB-Pokals. Nach dem Spiel wurde Philipp Lahm dafür belächelt, dass er sein Team lange Zeit als dominante Mannschaft wahrgenommen hatte. Ganz unrecht hatte er aber nicht. Die Bayern kamen gut rein, verkrafteten sogar einen frühen Rückstand und kontrollierten das Geschehen über 40 Minuten hinweg. Dass ausgerechnet Arjen Robben den zwischenzeitlichen Ausgleich per Elfmeter erzielte, schien zur Aufarbeitung der letzten Monate dazuzugehören. Doch dann passierte kurz vor der Halbzeit etwas, das den Bayern förmlich das Genick brach. Boateng verursachte erst einen Elfmeter, den Hummels zur Führung einschoss, und ließ wenig später Lewandowski ziehen. Der Pole gab der Heynckes-Elf mit dem 3:1 einen frühen Knockout.

Diese komplett verrückte Partie lässt sich kaum anhand eines Aspektes erklären. Aus taktischer Sicht hatte Heynckes nicht viel falsch gemacht. Im Mittelfeld setzte er mit Schweinsteiger und Kroos auf zwei ballsichere Spieler gegen Dortmunds starkes Pressing (siehe Abb. 4, S. 45). Gerade in der ersten Halbzeit sorgte das für eine gute Spielkontrolle. Beiden war es durch Gustavo als Absicherung möglich, auch mal in die Offensive zu stoßen. Schweinsteiger liebte die Situationen, in denen er aus der Tiefe das offensive Zentrum überladen konnte. Mit Robben und Ribéry entschied sich der Trainer zudem für Tempo und gegen Thomas Müller. Erst sah es so aus, als würden die Bayern von der Flexibilität ihrer Offensive profitieren. Selten hatten sie sich in so kurzer Zeit so viele Chancen gegen Klopps Dortmunder Elf herausgespielt. Allerdings war das Pokalfinale ein Äquivalent zur gesamten Bayern-Saison. Es fehlte dem Team an Sicherheit, Selbstverständnis und Konstanz. Den Doppelschlag vor der Halbzeit konnten sie nicht mehr verkraften. Dortmund nutzte im Gegenpressing die Unsicherheit und ganz besonders die fehlende Kompaktheit aus. Dabei entpuppte sich die Mischung aus risikoreichem Ballbesitzspiel und fehlendem Nachrücken der Mannschaft bei Ballverlusten als unvorteilhaft. Das Mittelfeldpressing der Bayern war wirkungslos gegen Klopps Umschaltfußball.

> ***Basics des Pressings:*** *Als Pressing wird grundsätzlich das Anlaufen einer Mannschaft ohne Ball bezeichnet. Dabei gibt es drei Grundformen. Das **Abwehrpressing** ist auch als »Mauerfußball« bekannt. Die Mannschaft steht sehr tief und greift den Gegner spät an. Im **Mittelfeldpressing** steht die Mannschaft schon deutlich höher. Meist wird dem Gegner der Spielaufbau gewährt, aber sobald der Ball die Mittellinie überschreitet, erfolgt der Zugriff. Das **Angriffspressing** ist die offensivste Form der Arbeit gegen den Ball. Die Spieler versuchen dabei, den Gegner schon im Aufbauspiel zu stören, und schieben bis weit in die gegnerische Hälfte. Als **Gegenpressing** wird die Reaktion einer Mannschaft nach Ballverlusten bezeichnet, wenn sie versucht, den Gegner direkt wieder zuzustellen und den Ball innerhalb von wenigen Sekunden zurückzugewinnen.*

Die Offensive wurde nicht ausreichend unterstützt, um einfache Ballverluste zu minimieren, und so entstanden Räume, die nicht mehr verteidigt werden konnten. Kein Team offenbarte diese Schwächen im bayerischen Spiel so gnadenlos wie Klopps Borussia Dortmund. Die 5:2-Niederlage war am Ende niederschmetternd und verdient, wenn auch in der Höhe etwas zu deutlich. Sie markierte eine Zäsur auf nationaler Ebene, doch die Bayern hatten nicht viel Zeit, darüber nachzudenken. Stattdessen versuchten sie sich an einer schnellen Analyse. Denn da war ja noch ein weiteres Finale zu spielen.

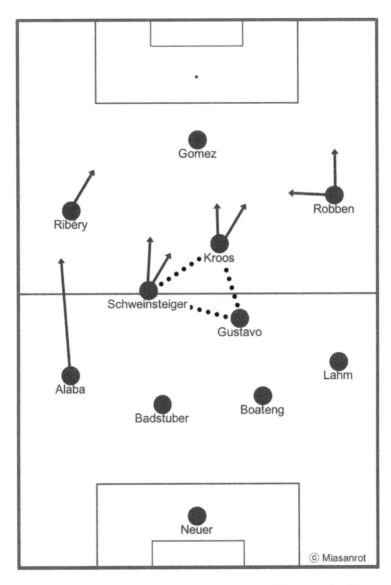

Abb. 4 *Die Spielidee im Pokalfinale 2012 gegen den BVB: ein spielstarkes, aber defensiv abgesichertes Zentrum und flexible Außenstürmer.*

Es war ein Finale, neben dem das DFB-Pokalfinale aussah wie Lahm neben van Buyten. Eines, das für alle Bayern-Fans ein emotionaler Höhe- und Tiefpunkt zugleich war – gerade für einen Fan, der wie ich aus der Umgebung Berlins kommt und dem sich in der Kindheit nicht viele Gelegenheiten boten, die Atmosphäre eines derart großen Spiels vor Ort aufzusaugen. Doch diesmal hatte ich diese Chance. Schon nach dem Schweinsteiger-Elfmeter in Madrid machte ich Pläne. Eine Karte für die Allianz Arena wäre ebenso teuer wie unrealistisch für mich gewesen, aber ich wollte um jeden Preis nach München. Zum Glück stand fest, dass im Olympiastadion ein offizielles Public Viewing stattfinden würde. Dafür sicherte ich mir direkt zwei Karten und verabredete mich mit einem Bayern-Fan und guten Freund aus Bremen zum 19. Mai 2012 in München. Ein Berliner und ein Bremer fahren nach München zu ihrem Lieblingsklub – fast schon absurd. Doch das war mir egal. Die Vorfreude aller Bayern-Fans war enorm. Die Zeit bis zum Finale schien überhaupt nicht zu vergehen. In der Nacht davor konnte ich kaum schlafen, doch als ich am frühen Morgen im ICE von Berlin nach München saß, war von Müdigkeit wenig zu spüren. Ich war mir sicher, dass die Bayern an diesem Tag Geschichte schreiben würden.

Gegen Mittag kam ich am Hauptbahnhof in München an. Ich spürte vom ersten Moment an, welche Bedeutung dieses eine Spiel hatte. Das Wetter war herrlich, die Menschen zeigten sich gut gelaunt, die Biergärten und öffentlichen Plätze waren überfüllt. Auf dem Marienplatz skandierten mehrere Hundert Bayern-Fans: »Drogba, Drogba, who the fuck is Drogba?«

Für mich persönlich war das ein bis heute einmaliges Erlebnis. Nie wieder habe ich eine so elektrisierende und packende Stimmung in einer Stadt wahrgenommen. Noch in vielen Jahren werde ich an den Moment zurückdenken, als ich das legendäre Münchner Olympiastadion betrat. Ich blickte von oben auf eine Masse aus Menschen, die sich über die Tribünen und den grünen Rasen erstreckte. Nach einigen Minuten, in denen wir diese ganze Atmosphäre einfach aufsaugten, gingen wir ebenfalls in den Innenraum und warteten auf den Anpfiff.

Als das Spiel dann endlich losging, war die Stimmung herausragend. Vor allem deshalb, weil Chelsea so gut wie keine Chance hatte. Bayern war nicht nur dominant, sondern auch drückend. Lediglich die Chancenverwertung war schlecht. In der zweiten Halbzeit drehte sich die Stimmung etwas. Die Heynckes-Elf war zwar immer noch die klar bessere Mannschaft, doch je mehr Chancen vergeben wurden und je länger es 0:0 stand, umso nervöser wurden auch die Fans. Sie lechzten nach diesem einen Moment. Bei jedem Torschuss, bei jeder Großchance, bei jeder noch so kleinen Möglichkeit spürte ich, wie die Stimmung im Stadion kurz davor war, zu explodieren.

Dann kam die 83. Spielminute. Toni Kroos streichelte den Ball vom linken Strafraumeck mit einer Präzision in den Fünfer, die ein normaler Mensch nicht einmal an der PlayStation nach mehreren Versuchen erreicht hätte. Der Ball hatte genügend Tempo und die perfekte Flugbahn, um Petr Čech trotz der Nähe zu seinem Tor keine Chance zu lassen. Diese Flanke hätte ein Gedicht verdient. In der Mitte lief gleichzeitig Thomas Müller ein – wer sonst? Der bayerische Lausbub, der seit van Gaal fast immer spielte. Ein Spieler aus der eigenen Jugend, der diesen Verein so sehr lebt wie kaum ein anderer. Einer wie Badstuber, Alaba, Lahm und Schweinsteiger. Das Resultat großartiger Jugendarbeit, die in München über Jahre hinweg scharf kritisiert wurde. Einer von uns. Hätte man vor dem Spiel eine Geschichte darüber geschrieben, wie dieses Finale aus Bayern-Sicht perfekt laufen würde, dann hätte sie genau dieses Happy End gehabt. Müller köpfte den Ball wuchtig auf den Boden, von wo er endlich ins Tor sprang. Mit einem lauten Knall entlud sich die Spannung in der Allianz Arena, im Olympiastadion, auf der Theresienwiese und überall sonst in der ganzen Stadt zugleich. Das Gefühl, das in mir hochkam, war und ist bis heute mit nichts zu vergleichen. Tränen, Erleichterung, pure Emotionen – alles, was in der Vergangenheit passiert war, zählte auf einmal nicht mehr. Allein dieser Moment war wichtig. Alle waren sich einig, dass es *das* Tor zum Champions-League-Sieg war. Zu Hause. In der eigenen Arena. Da gab es keinen Zweifel mehr. Chelsea war zu schwach, um dem noch etwas entgegensetzen zu können.

Doch das Märchen verwandelte sich in ein Drama. Chelsea bekam noch eine letzte Chance: ein geschenkter Eckball. Kurz zuvor wurde Müller wegen Krämpfen ausgewechselt. Für ihn kam Daniel van Buyten, der gegnerische Standards absichern sollte. Jede Aktion, jede Sekunde zog sich ewig. Selbst die Ausführung dieses verdammten Eckballs dauerte gefühlt eine ganze Nacht.

Es war der erste Eckball für Chelsea überhaupt. Die Bayern hatten am Ende 20. Marcel Reif griff diesen Fakt auf und redete den Ausgleich förmlich herbei. Hätte er doch besser geschwiegen.

Die Ecke segelte in den Strafraum, Lampard blockierte Boateng, Drogba setzte sich in einer wirren Zuordnung gegen Lahm durch und köpfte den Ball ins obere Eck, als hätte er ihn mit dem Vollspann seines Fußes perfekt getroffen. Was für eine Rakete. Unfassbar. Ich brach auf dem Rasen des Olympiastadions in mich zusammen und konnte nicht begreifen, was da gerade geschah.

Aber es wurde noch schlimmer. In der Verlängerung waren die Bayern immer noch das klar bessere Team. Sie ließen ungezählte Chancen liegen. Die größte davon hatte Arjen Robben. Natürlich vom Elfmeterpunkt. Natürlich nicht so selbstbewusst wie noch im DFB-Pokalfinale in Berlin, sondern mit zitternden Beinen wie in Dortmund. Bayerns Drama war auch sein persönliches Drama. Die komplette Spielgeschichte wendete sich erneut gegen Jupp Heynckes und seine Mannschaft. Das spürten auch die Fans. Es ging unweigerlich ins Elfmeterschießen. Ich stand Arm in Arm mit völlig fremden Menschen vor der Leinwand. Als wäre ich selbst auf dem Platz. Ich war durchnässt von Schweiß und Tränen, wollte die Hoffnung auf gar keinen Fall aufgeben. Lahm, Gómez und Neuer verwandelten, Mata ließ für Chelsea einen Elfmeter liegen. Dann verschoss Olić, und Cole konnte ausgleichen. Es blieb das Duell zwischen Schweinsteiger und Drogba. Wieder war da dieser unfassbar lange Weg für den Mittelfeldchef. Von der Mittellinie bis zum Elfmeterpunkt hatte er viel Zeit, um nachzudenken.

Vielleicht ging ihm die Kritik einiger Medien durch den Kopf, die es anscheinend auf ihn abgesehen hatten. Er sei kein Führungsspieler und könne die Mannschaft nicht ausreichend tragen. Eine ganze Generation rund um Lahm und Schweinsteiger hätte sich bis zu diesem Zeitpunkt nicht verewigen können. Vielleicht sei doch nicht alles Gold, was glänzt. Was auch immer er dachte, ein Schuss würde darüber entscheiden, wie sich seine Wahrnehmung verändert. Seine herausragende Leistung in 120 Minuten zuvor wäre bei einem Fehlschuss nichts mehr wert. So absurd ist der Fußball.

Schweinsteiger setzte seinen Schuss an den Pfosten, Drogba traf. Chelsea gewann die Champions League in München. Kein Happy End. Zwischen der puren Ekstase rund um die 83. Minute und diesem Moment lagen Welten.

Rund zwei Stunden nach dem Abpfiff fand ich mich auf dem Boden des Olympiastadions wieder. Leer. Ausgelaugt. Die meisten Leute waren gegangen. Ich sprach in dieser Nacht kein Wort mehr. Wie musste es dann erst Schweinsteiger oder Robben gehen? Die Stadt, die ich tagsüber so froh, emotional und lebendig wie nie zuvor erlebt hatte, versank in tiefer Trauer. Die Stunden, bis mein ICE endlich kam, waren die längsten meines Lebens. Ich hatte die Rückfahrt erst am nächsten Morgen gebucht. Verdammter Optimismus. Der ganze Hauptbahnhof war voll mit Menschen, die anscheinend genauso optimistisch gewesen waren. Alle schwiegen. Jeder war mit sich selbst beschäftigt. Niemand konnte glauben, was passiert war. Wenige Momente verschoben die Wahrnehmung dieses Spiels von einer großartigen Leistung zu einer Debatte um eine ganze Generation, die keine großen Titel gewinnen könne. München lernte in dieser Nacht nicht nur, wer Didier Drogba ist, sondern erreichte einen emotionalen Tiefpunkt, der eine gute Saison bis heute überschattet. Die Reaktionen waren brutal. Robben wurde wenige Tage später bei einem Freundschaftskick gegen die niederländische Nationalmannschaft von einer Minderheit im eigenen Publikum ausgepfiffen. Peinlich. Hoeneß sprach noch in der Nacht der Niederlage indirekt von fehlender Mentalität. Den ersten Fans dämmerte bereits, dass diese Niederlage weitreichende Konsequenzen haben würde.

Kapitel 2: 2012–2013

Umbruch und strategische Korrektur

Zwei Jahre ohne Titel waren für den FC Bayern inakzeptabel. Es spielte dann auch keine Rolle mehr, ob das allein an der sportlichen Qualität der Mannschaft lag oder ob da einfach nur Pech im Spiel war. Frei nach Hermann Gerland ist Glück immer Können. Im Umkehrschluss wäre Pech immer Unvermögen. Ganz so pauschal gilt das natürlich nicht. Dafür hatte das Scheitern der Münchner zu viele Dimensionen.

Wenn die großen Bayern in zwei Jahren nicht einen großen Titel gewinnen, muss etwas gründlich falsch gelaufen sein. Uli Hoeneß und Karl-Heinz Rummenigge zeichneten sich schon immer dadurch aus, dass sie Fehler schnell korrigieren können. Hoeneß galt viele Jahrzehnte sogar als Visionär des deutschen Fußballs.

Mit Christian Nerlinger schienen die Bosse einen ersten Schwachpunkt ausgemacht zu haben. Der Sportdirektor schaffte es nicht, aus dem Schatten von Uli Hoeneß hervorzutreten und eigene Fußstapfen zu hinterlassen. Einige Leute aus dem Umfeld des FC Bayern meinten sogar, dass Nerlinger dem Vorstand zu wenig entgegensetzte. Die Spannung und Reibung hätten gefehlt.

Nerlinger war stets bereit, von seinen großen Vorbildern im Klub zu lernen. Aber es fehlte jemand, der die Vorgänge kritisch hinterfragte, der ständig den Finger in die Wunde legte und für Anspannung und Konzentration sorgte.

Der FC Bayern wollte deshalb die Position des Sportdirektors zur Saison 2012/13 komplett erneuern. Dafür verpflichteten sie Matthias Sammer vom DFB. Der Querdenker hatte diesen einzigartigen Ehrgeiz, diesen besonderen Antrieb. Mit ihm wollten die Bayern die sportliche Konstanz zurückgewinnen. Neben den öffentlichen Auftritten war es Sammers Aufgabe, alles rund um die erste Mannschaft zu überwachen wie ein Teammanager. Er bewegte sich im Dunstkreis der Spieler und sollte Missstände oder Fehlentwicklungen klar ansprechen.

Ein Problem der vergangenen Jahre war es, dass die Bayern ihre beste Leistung nicht regelmäßig auf den Platz brachten. Sammer war dafür verantwortlich, Spannung und Intensität bei allen Beteiligten aufrechtzuerhalten. Doch zugleich sollte er auch auch den Druck von der Mannschaft nehmen, wenn es mal nicht so gut lief.

Sammer war nicht nur selbst ein Weltklasse-Fußballer, er hatte auch früh seine Trainerkarriere begonnen – und das sehr erfolgreich. Der gebürtige Dresdner hatte Erfahrungen in fast allen Bereichen des Fußballs gesammelt und sich so einen Wissensvorsprung erarbeitet, den Nerlinger nicht haben konnte. Er war das Puzzleteil zwischen Vorstand und Team, das nicht nur Harmonie und Verbindung garantierte, sondern in den richtigen Momenten unpopuläre Meinungen vertrat oder unangenehme Wahrheiten aussprach.

Für Jupp Heynckes war der Sommer 2012 ebenfalls nicht einfach. Nach den Niederlagen hätte es ihm niemand verübelt, wenn er seine Motivation verloren hätte. Er war ja schon mal im Ruhestand gewesen. Im März hatten ihn die Medien teilweise stark kritisiert. Er sei zu unflexibel, seine Vorstellungen vom Fußball entsprächen nicht der Moderne. Tatsächlich war es so, dass Heynckes in seiner langen Trainerkarriere manchmal die Lockerheit abging. In Leverkusen hatte er zunächst Probleme, mit Peter Hermann zusammenzuarbeiten. Der

Co-Trainer hätte gerne mehr Arbeit übernommen, als Heynckes ihm gewährte. Als eine dritte Person vermitteln konnte und Hermann endlich mehr Verantwortung bekam, lernte er diese Zusammenarbeit zu schätzen. Hermann wurde schnell zum Mann für die taktischen Details. Zwischen 1989 und 2008 war er in Leverkusen der zweite Mann auf der Bank. Er liebt diese Rolle im Hintergrund. Dort konnte er seine Arbeit in Ruhe erledigen, und dem Trainerteam am besten helfen. Heynckes und Hermann entwickelten über die Jahre ein offenes Verhältnis, das ihnen kontroverse Diskussionen über verschiedene Bereiche ermöglichte. Während Hermann seinen Fokus auf taktische Abläufe legte, war es die große Stärke von Jupp Heynckes, ein Mannschaftsgefüge zu coachen. Das bedeutet vor allem, dass er jedem Spieler von A bis Z das Gefühl geben konnte, gebraucht zu werden.

Aber Hermann war nicht nur der Taktiker und Heynckes auch nicht nur der Motivator. In Leverkusen wie in München ergänzten sich die beiden so perfekt, dass sie zusammen eine große und komplette Einheit bildeten.

Mit diesen Resultaten war es im Sommer 2012 keine Option für Heynckes, aufzuhören. Dieses Versprechen von 1990, dieses verdammte Versprechen, das er nicht einlösen konnte, war sicherlich noch irgendwo in seinem Hinterkopf. Und so setzte er sich mit Peter Hermann zusammen und diskutierte offen, warum die dominante Spielweise nicht zu Titeln führte. Beide dürften sich einig gewesen sein, dass die Balance im Team fehlte. Bei Ballverlusten gab es im Mittelfeld zu wenig Absicherung. Luiz Gustavo hatte oft einen viel zu großen Raum zu verteidigen. Ohnehin war das Pressing einfach zu tief. Wenn die Offensive den Ball verlor, war sie raus aus dem Spiel. Dahinter kam erst mal wenig – und dann irgendwann das defensive Mittelfeld.

In Dortmund spielte man ein extrem hohes Gegenpressing. Es stand gar nicht zur Debatte, aus den Bayern eine Mannschaft wie den BVB zu machen. Aber dieses eine Element könnte, so dachte man sich das damals, der Schlüssel zur Wende sein. Die Mannschaft musste sich in Ballbesitz schon so positionieren, dass sie bei Ballverlusten sofort zugreifen konnte: aggressiv, kompakt und konsequent.

Hermann korrigierte im Training fortan jeden Laufweg der Spieler noch akribischer. Mit diesen taktischen Eingriffen wollte das Trainer-Team die durch van Gaal gewonnene Identität sowie die damit verbundene Strategie modernisieren und auffrischen.

Klopp warf den Bayern später vor, gnadenlos zu kopieren. Tatsächlich hatte Heynckes aber schon in den frühen Achtziger-Jahren Ansätze des Gegenpressings umgesetzt.

Neben der Ernennung Sammers zum Sportdirektor und strategischen Anpassungen gab es noch eine dritte Veränderung. Der Rekordmeister sah sich dazu gezwungen, auf dem Transfermarkt tätig zu werden. Endlich wurde nicht nur für die nötige Tiefe im Kader gesorgt, sondern es wurden auch Spieler verpflichtet, die noch besser ins System passen. Mario Mandžukić und Claudio Pizarro kamen für den Angriff. Dafür musste Ivica Olić den Verein verlassen. Mit Gómez, Mandžukić und Pizarro hatten die Bayern nun eine in der Geschichte seltene Qualität auf der Stürmerposition. Hinten ergänzte Dante die Innenverteidigung. Er sollte mit seiner Erfahrung und seiner Qualität dafür sorgen, dass die jungen Innenverteidiger den nächsten Schritt machen. Auch auf den offensiven Außenbahnen sah der FC Bayern Handlungsbedarf. Wenn Ribéry und Robben nicht spielen konnten, wurde es eng mit der Kreativität im Offensivbereich. Außerdem wollte man der Flügelzange auf der einen Seite hin und wieder Entlastung geben, auf der anderen Seite aber auch ständigen Druck im Training gewährleisten. Xherdan Shaqiri kam als großes Talent vom FC Basel, Mitchell Weiser als Option für die Zukunft aus Köln. Im Mittelfeld rückte Emre Can aus der eigenen Jugend in die erste Mannschaft. Er war noch keine wirkliche Option für die erste Elf, hatte in der jüngeren Vergangenheit aber als kreativer Arbeiter überzeugt. Solch ein Spielertyp fehlte den Bayern, wenn Schweinsteiger verletzt war.

Der mit Abstand wichtigste Baustein war jedoch Javi Martínez. Im Transfersommer verhandelten die Bayern wochenlang, um den Basken von Bilbao an die Säbener Straße zu holen. Der damals 23-Jährige war der absolute Wunschspieler von Jupp Heynckes. Kein Wunder: Martínez verkörpert alles, was ein Heynckes-Fußballer braucht. Der Trainer liebt physisch starke Spieler, die viel für die Mannschaft arbeiten, aber auch die technischen und strategischen Fähigkeiten haben, um in Ballbesitz kluge Entscheidungen zu treffen.

Bilbao war ein harter Verhandlungspartner, und so kam es dazu, dass die Bayern eine Rekordablöse von rund 40 Millionen Euro zahlten. Damit untermauerten sie nicht nur den Großangriff auf Borussia Dortmund, sondern bewiesen auch ihr großes Vertrauen in Heynckes. Martínez war entscheidend für das Trainerteam, um das höhere Pressing und die noch dominantere Spielweise umzusetzen sowie um Schweinsteiger zu entlasten. Die Variabilität des Kaders wurde durch die Neuzugänge massiv erhöht. Auf fast jeder Position gab es mindestens einen gleichwertigen Ersatz.

Heynckes zeigte während der Saison, dass er auch mit vielen Superstars klarkommt. Er konnte es sich sogar erlauben, Arjen Robben gleich mehrfach auf die Bank zu setzen. Dieser war natürlich nicht zufrieden damit, nahm die Situation aber an. Noch beeindruckender war das Verhalten von Mario Gómez. Der Stürmer hatte stets eine herausragende Torquote und machte große Fortschritte in der Arbeit gegen den Ball. Am Ende seiner Zeit in München hatte er in 174 Pflichtspielen 113 Tore und 26 Assists auf dem Konto. Im

Schnitt war der Stürmer alle 81 Minuten an einem Treffer direkt beteiligt. Zum Vergleich: Selbst der große Gerd Müller brauchte durchschnittlich eine Minute mehr. Trotzdem hieß es nach dem verlorenen Champions-League-Finale 2012, dass Gómez nicht mehr der Mann für die ganz großen Spiele sei. Er habe sich zu viele ausgelassene Chancen erlaubt. Mandžukić war zudem technisch begabter und besser für das Pressing einzusetzen. Der Kroate entlastete mit seinen ausweichenden Bewegungen Ribéry, der dadurch befreiter aufspielen konnte. Gómez akzeptierte diese Rolle. Er war da, wenn er von Heynckes und der Mannschaft gebraucht wurde. Spieler wie Robben oder er ordneten sich einem großen Ziel unter.

Vielleicht war das die größte Veränderung, die Heynckes erreichen konnte: Aus den bitteren Niederlagen entstand binnen weniger Wochen eine einzigartige Motivation und Dynamik. Während andere an dieser dramatischen Vorsaison zerbrochen wären, standen die Bayern wieder auf: stärker, flexibler und geschlossener denn je. Vom ersten bis zum letzten Spieltag zeigte der Rekordmeister keine Gnade und spielte die bis dahin beste Saison seiner Vereinsgeschichte. Aus 34 Spielen holten die Bayern 29 Siege und vier Unentschieden. Lediglich eine Niederlage gegen Leverkusen trennte sie von einer komplett ungeschlagenen Spielzeit.

Noch im Vorjahr hatte Jürgen Klopp von einem »Rekord für die Ewigkeit« gesprochen, als der BVB mit 81 Punkten Deutscher Meister geworden war. Doch keine zwölf Monate später wurde der Rekord schon gebrochen: 91 Punkte, 98 Tore, 18 Gegentore, 25 Punkte Vorsprung auf den Rivalen aus Dortmund – die Dimensionen waren riesig. Hatte man 2012 noch über eine Wachablösung an der Spitze des deutschen Fußballs diskutiert, so wurden diese Spekulationen in nur einem Jahr pulverisiert. Der FC Bayern reagierte wie ein taumelnder Weltklasse-Boxer, der vom aufsteigenden Rookie solange provoziert wird, bis er so hart zurückschlug, dass sein Gegner nicht mehr

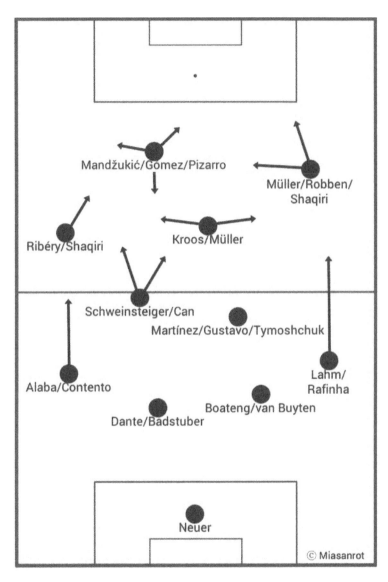

Abb. 5 *Heynckes hatte vorne ein starkes Aufgebot. Kombiniert mit höherem Pressing und besserem Positionsspiel wurde der FCB nahezu unschlagbar.*

aufstehen kann. Zwei Jahre voller gegenseitiger Sticheleien und Provokationen entluden sich in einer historischen Saison, die bis heute einmalig blieb. Frust, Ärger, Trauer, Niederlagen – all diese Emotionen konnten in positive Energie umgewandelt werden. Der FC Bayern hatte im Sommer den eigenen Weg hinterfragt, Konsequenzen gezogen, und eine leichte Kursänderung katapultierte den Klub zurück in den Fußball-Himmel.

»Road to Wembley«

Die Höhepunkte dieser Saison beschränkten sich nicht auf die Bundesliga. National saß der Stachel natürlich tief. Die Demütigung im DFB-Pokalfinale tat immer noch weh. Doch das war nichts im Vergleich zu dem Schmerz, den das verlorene Champions-League-Finale gegen Chelsea hinterlassen hatte. Die Pfiffe gegen Robben, die Bilder von Bayern-Spielern, die komplett leer und desillusioniert im Mittelkreis der eigenen Arena lagen – immer und immer wieder kamen Fans und Spielern solche Flashbacks. Die Befürchtung, dass diese Niederlage mit nichts wieder gut gemacht werden könnte, war groß. Dass der FC Bayern irgendwann wieder Meister werden würde, war absehbar. Zwar nicht in dieser einzigartig dominanten Form, aber der nächste Titel war trotz allem eine Frage der Zeit. Die Champions League hingegen ist jedes Jahr eine Lotterie. Wie ist die Tagesform der Mannschaft? Wie fit ist der Kader? Fallen Schlüsselspieler aus? Hat man hier und da auch mal etwas Glück? Zu viele Faktoren, die man selbst kaum beeinflussen kann, spielen dort eine größere Rolle als in der Liga. Fehler darf man sich nicht erlauben. Ein individueller Patzer kann die Saison in der Königsklasse beenden. Ein Champions-League-Finale zu erreichen ist die größte Herausforderung im Klub-Fußball.

Mit der neuen strategischen Ausrichtung, den Transfers und Matthias Sammer im Rücken traten die Bayern ihre Reise wieder von vorne an. In der Gruppenphase schlugen sie zunächst Valencia, verloren aber bereits das zweite Spiel in Borissow. Die Weißrussen überzeugten mit durchaus ansehnlichem Kurzpassspiel und spielten die Bayern förmlich schwindelig. Nach einem knappen Auswärtserfolg in Lille (0:1) und einem deutlichen 6:1-Sieg im Rückspiel gegen die Franzosen zu Hause hatten die Bayern wieder bessere Karten. Am fünften Spieltag bedeutete die Reise nach Valencia schon die Möglichkeit zur Vorentscheidung im Kampf um den Gruppensieg. Trotz Überzahl reichte es aber nur zu einem 1:1. So musste der 4:1-Heimsieg über Borissow wenige Tage später die Entscheidung bringen. Damit war dann auch die Pflicht erfüllt – nicht mehr, aber auch nicht weniger.

Im Achtelfinale gegen den FC Arsenal wurde es schon deutlich spektakulärer. Das Hinspiel in London war einer der besten Auftritte des FC Bayern in dieser Saison. Tore von Kroos, Müller und Mandžukić sicherten einen 3:1-Sieg, der nur durch einen Neuer-Patzer etwas getrübt wurde. Im Rückspiel wirkte die Mannschaft aber plötzlich selbstgefällig und lustlos. Momente, für die eigentlich Matthias Sammer geholt wurde. Ohne Schweinsteiger und ohne Ribéry fehlten den Bayern abermals die entscheidenden Impulse. Arsenal ging schnell in Führung, setzte spät das 2:0 darauf und wäre kurz vor dem Abpfiff sogar beinahe noch zum entscheidenden dritten Tor gekommen. Doch das Glück war dieses Mal auf der Seite der Münchner. Sie wackelten, sie taumelten, sie waren kurz davor, zu fallen. Aber sie blieben stehen.

Im Nachhinein betrachtet kam dieser Warnschuss vielleicht zur richtigen Zeit. Hoeneß polterte nach dem Abpfiff: »Der Trend ist your friend. Und wir spielen seit drei Wochen schönen Dreck.«

Doch der Trend entwickelte sich schon bald wieder in die richtige Richtung. Das war auch zwingend notwendig. Im Viertelfinale wartete mit Juventus Turin nämlich ein ganz anderes Kaliber auf die Bayern. Auf das Losglück konnten sie sich nicht verlassen. Doch Heynckes hatte einen Plan. Ihm war bewusst, dass Juves Herz im Mittelfeld liegt. Taktgeber Andrea Pirlo war dafür verantwortlich, Marchisio und Vidal auf der Acht freizuspielen. Deren Dynamik wiederum machte das Spiel der Turiner so gefährlich. Heynckes stellte seine Mannschaft deshalb insgesamt etwas tiefer ein. Kroos, der auf der Zehn spielte, hatte die Aufgabe, Pirlo in Manndeckung zu nehmen. Er und Müller, der später für den verletzten Kroos auf die Zehn rückte, wären gefühlt auch dann beim Gegenspieler gewesen, wenn der sich kurz eine Trinkpause gegönnt hätte. Davor stand Mandžukić der italienischen Dreierkette alleine gegenüber. Phasenweise lief der Kroate auch mal höher an, doch meistens war er darauf bedacht, Pirlo im Deckungsschatten zu behalten. So war der Italiener immer eingekesselt. Vidal und Marchisio verloren die Verbindung zum Spiel, und Bayern gewann die Kontrolle.

Begünstigt wurde dieser taktische Kniff allerdings durch einen Sonntagsschuss: Es waren gerade 26 Sekunden gespielt, als David Alaba aus großer Entfernung abzog, Vidal mit seinem Schuss streifte und dank des unhaltbaren Richtungswechsels die frühe Führung erzielte. Ein Traumstart. In der Folge versuchte Juventus, mit der Umstellung auf ein 4-4-2 besseren Zugriff zu erhalten. Doch die Heynckes-Elf passte sich in jeder Situation an. Als Pogba Pirlo im Sechser-Raum unterstützen sollte, rückte Schweinsteiger weiter heraus. Juve hatte zu keiner Zeit des Spiels einen Zugriff auf die eigene Schaltzentrale und verlor deshalb letztendlich verdient mit 0:2. Heynckes und Hermann hatten ihre Flexibilität unter Beweis gestellt. Ihr Team war in Ballbesitz sicher, bei Ballverlusten hellwach, gegen den Ball gut organisiert und bei Ballgewinnen unglaublich schnell im Kopf. Als Louis van Gaal die Spiele seiner alten Liebe sah, muss er einen kurzen Blick auf einen Bilderrahmen an der Wand geworfen haben, in dem sein Vier-Phasen-Modell zu sehen war. Vor Freude und Stolz dürfte er eine Träne vergossen haben.

Deckungsschatten: Der Deckungsschatten ist der Raum, den ein Spieler in seinem Rücken verteidigt. Wenn Spieler B sich so positioniert, dass er zwischen dem ballführenden Spieler A und Spieler C steht, dann verhindert er einen Pass, weil Spieler C in seinem Deckungsschatten steht.

Im Rückspiel musste Heynckes umstellen. Toni Kroos verletzte sich im ersten Duell schwer und stand nicht mehr zur Verfügung. Heynckes brachte Robben und ließ Müller die Kroos-Rolle übernehmen – wie schon im Hinspiel nach 16 Minuten. Doch Juves Antonio Conte hatte ohnehin auf das Pressing der Münchner mit einigen Umstellungen reagiert. So brachte er Pogba diesmal von Anfang an, um im Sechser-Raum eine höhere Präsenz zu haben. Der Franzose bewegte sich dabei klüger als noch bei seiner Einwechslung in München. Wenn Pirlo von Müller und Mandžukić angegriffen wurde, schob er sich clever in die Lücken. So konnte sich Juventus mehrfach aus den Pressingfallen der Bayern lösen.

Wie wichtig manchmal Details sein können, zeigte zudem der Seitentausch von Bastian Schweinsteiger. Konnte er im Hinspiel oft durch kluges Herausrücken auf der halblinken Seite Druck erzeugen, so klaffte dort diesmal eine größere Lücke, weil er auf der halbrechten Seite spielte. Dort konnte er problemlos von Marchisio zugestellt werden. Bayerns Spielaufbau litt sehr an diesen taktischen Schwachstellen, was aber keinesfalls bedeutete, dass der FCB ein schlechtes Spiel machte. Juventus war einfach besser vorbereitet, und die Münchner waren in den Details einen Tick weniger aufmerksam. Auf diese Weise etwickelte sich ein sehr offenes Spiel, das die Bayern letztendlich mit dem nötigen Quäntchen Glück 2:0 gewinnen konnten.

Beide Partien waren eines Champions-League-Viertelfinals mehr als würdig. Die Intensität war auf taktischer und spielerischer Ebene enorm hoch. Mit dieser Leistung und dem Erreichen des Halbfinals meldeten die Bayern erneut Ansprüche auf den Titel an.

Im Halbfinale wartete der FC Barcelona auf die Bayern. Anders als 2009 hatte ich diesmal eher das Gefühl, dass sich hier zwei Mannschaften auf Augenhöhe begegnen könnten. Das lag auch daran, dass Barcelona und Pep Guardiola seit 2012 getrennte Wege gingen. Die Katalanen hatten zwar immer noch Iniesta, Xavi, Messi und vor allem Busquets, aber es deutete doch viel darauf hin, dass in Barcelona eine Ära zu Ende ging. Die Bayern befanden sich dagegen auf einem Höhepunkt ihres Schaffens. Die Verletzung von Kroos machte Arjen Robben endgültig zum Stammspieler. Gegen Barcelona schien es ohnehin eine kluge Entscheidung zu sein, auf beiden Seiten mit schnellen Dribblern zu agieren, und der Niederländer war extrem motiviert. Darüber hinaus musste Heynckes Mario Mandžukić ersetzen, der wegen einer Gelb-Sperre fehlte. Das war die große Bühne für Mario Gómez, der geduldig auf diese Chance wartete. »Jeder wird gebraucht« – das ist mehr als nur ein Spruch.

Das Spiel verlief schließlich komplett surreal. Mit einem 4:0-Sieg der Bayern hatte nun wirklich niemand gerechnet. Allerdings täuscht die Höhe des Erfolgs auch ein bisschen über die Realität hinweg. Barcelona fehlte zwar das gewisse Etwas, aber sie spielten nicht annähernd so katastrophal wie die Bayern 2009. Gerade das Mittelfeldduell zwischen Xavi, Iniesta, Busquets und Martínez, Schweinsteiger, Müller war sehr interessant. Martínez ließ Iniesta kaum eine Chance. Immer wenn der Superstar vom FC Barcelona den Ball hatte, spürte er schon den Atem des Basken. Selten gab es einen Spieler, der Iniesta so wirkungsvoll aus dem Spiel nehmen konnte wie Martínez. Wenn man sich die Halbfinals nochmal ansieht, muss man lange nach Iniesta suchen. Schweinsteiger wiederum machte gegen den Ball alles, was sein Pendant ihm an Arbeit übrigließ, und konzentrierte sich sonst darauf, das Aufbauspiel zu lenken.

Über Jahre hinweg hatte Barcelonas Pressing zum Besten und Variabelsten gehört, was der Fußball zu bieten hatte. Auch gegen die Bayern versuchten sie es mit einem flexiblen Angriffspressing. Meist ließen sie nur einen Innenverteidiger der Bayern offen, um diesen dann beim Anspiel unter Druck zu setzen. Schweinsteiger reagierte darauf sehr clever. Er ließ sich zwischen die Innenverteidiger fallen und verteilte die Bälle aus der Tiefe. Damit ergaben sich Räume hinter der ersten Pressinglinie des Gegners. Für die Bayern war das einer der Schlüssel zum Sieg. Viel wichtiger aber war die Akzeptanz, dass Barcelona das bessere Positionsspiel hatte. Aus dieser Einsicht war klar, dass die Katalanen ein Ballbesitzduell für sich entscheiden würden. Am Ende hatten die Bayern dann auch nur eine Ballbesitzquote von 34 Prozent – aber 15 Abschlüsse und Barcelona lediglich vier.

Gegen den Ball richtete Heynckes seine Mannschaft in einem extrem engen 4-4-2 aus. Aufgrund der tiefen Positionierung kann auch von einem 4-4-2-0 gesprochen werden, wobei die 0 für eine Leerstelle in der Offensive steht. Die Münchner blieben aber nicht passiv in der eigenen Hälfte und ließen Barcelona kommen: Sie verschlossen die Zentrale mit einer kompakten Formation, verschoben intelligent von einer Seite zur anderen und jagten die Katalanen, sobald sie einen Gegenspieler auf den Außenbahnen isoliert hatten. Es war eine der besten Defensivleistungen, die ich von den Bayern je gesehen habe. Selten zuvor wirkte Barcelona so ideenlos.

Allerdings muss auch erwähnt werden, dass die Bayern das Glück auf ihrer Seite hatten. Beispielsweise beim 3:0, als Thomas Müller Jordi Alba regelwidrig wegdrückte und Robben freie Bahn hatte. Aber auch jenseits des Glücks waren Einstellung, Wille und taktisches Verhalten der Bayern zu gut für den Gegner. Für Jupp Heynckes und sein Team lief an diesem Abend einfach alles. Gómez, der vor der Saison degradiert worden war und dessen Wechsel jeder verstanden hätte, machte ein großartiges Spiel, erzielte sogar ein Tor.

Für mich schloss sich mit diesem 4:0 ein kleiner Kreis. Als ich 2009 vor dem Fernseher saß, war ich fassungslos. Als ich 2013 vor dem Fernseher saß, war ich genauso fassungslos, aber aus anderen Gründen. 2009 war ich unfassbar traurig über eine Mannschaft, die wie ein Haufen voller Individualisten wirkte. 2013 war ich unfassbar froh über einen Kader, der ersichtlich gemeinsam an einem Ziel arbeitete. Es dauerte dann noch eine ganze Weile, bis ich richtig realisierte, dass die Bayern gerade die beste Mannschaft der Welt mit 4:0 geschlagen hatten. Das Spiel fühlte sich an wie ein Rausch. Von einem emotionalen Höhepunkt ging es Schlag auf Schlag zum nächsten. Ich konnte einfach nicht glauben, was die Mannschaft dort auf den Rasen zauberte. Etwa als Barcelona den Ball im Münchner Strafraum an Ribéry verlor und der Franzose mit einer Körpertäuschung Messi links liegen ließ: Der purzelte auf sein Hinterteil und konnte sich fortan den rasend schnellen Konter der Bayern aus der Distanz ansehen.

Im Rückspiel glaubte selbst der große FC Barcelona nicht mehr wirklich daran, das Duell noch drehen zu können. Zu stark waren die Bayern, zu gut waren sie in der Defensive organisiert. Überhaupt ist es eine der größten Leistungen von Jupp Heynckes, wie er Robben und Ribéry zum Verteidigen motivierte. Nur so war es möglich,

Barcelona zu schlagen. Die Bayern waren eine Einheit, über die gesamte Saison. Vermutlich waren sie damals die verschworenste und ehrgeizigste Mannschaft Europas. Spätestens als Anfang 2013 offiziell bestätigt wurde, dass Pep Guardiola ab dem Sommer das Zepter des Trainers übernehmen würde, hatten die Spieler noch mehr im Kopf als ihre persönlichen Ziele: Jedes Interview und jeder Sprint auf dem Platz wirkten wie eine Hommage an Jupp Heynckes.

Der wiederum hatte all die negativen Emotionen der Vorsaison in positive Energie verwandelt. Als Arjen Robben nach dem Einzug ins Finale der Königsklasse Tränen in den Augen hatte, war deutlich zu spüren, welcher Druck auf dieser Mannschaft lastete. Umso beeindruckender war es, mit welcher scheinbaren Leichtigkeit sie die verschiedenen taktischen Vorgaben ihrer Trainer umsetzten. Zum dritten Mal in vier Jahren trennte die Bayern nur noch ein einziges Spiel vom ganz großen Wurf. Nach Inter Mailand und Chelsea hatte der Fußball diesmal eine ganz besondere Geschichte vorbereitet. Im Finale wartete der sportliche Erzrivale: Borussia Dortmund.

Zwei große Siege

Im Prinzip hätte es für den FC Bayern nicht schlimmer kommen können. Was für ganz Deutschland ein herausragendes Ereignis war, erhöhte den ohnehin schon vorhandenen Druck auf die Münchner noch um ein Vielfaches. Gegen Borussia Dortmund waren sie für die Öffentlichkeit der Favorit, was Jürgen Klopp entgegenkam. Der Trainer ist ein Meister des Understatements. Der riesige Rückstand auf die Bayern in der Bundesliga sowie die jüngsten Ereignisse in der Champions League nutzte er, um für die Borussen den Erwartungsdruck vor dem Finale zu nehmen. Dortmund konnte nur gewinnen, Bayern nur verlieren – zumindest wurde dieses Bild nach außen transportiert. Es war genau diese psychische Ebene, die alle sportlichen Aspekte überschattete. Einen Tag vor dem Halbfinal-Hinspiel der Borussen gegen Real Madrid ging plötzlich die Nachricht um die Welt, dass Mario Götze zum FC Bayern wechseln werde. Jahre später deutete Matthias Sammer an, dass die Veröffentlichung vom FC Bayern initiiert worden war, er aber auch nicht wisse, von wem genau. So oder so aber zeigt der damit verbundene Versuch, den BVB psychologisch zu beeinflussen, wie tief der Stachel tatsächlich saß. Es reichte den Bayern einfach nicht, in der Liga davongeeilt zu sein …

In den direkten Duellen in der Liga hatte es zudem beide Male nur zu einem 1:1 gereicht. Auch im DFB-Pokal trafen sie aufeinander. Der knappe 1:0-Sieg im Viertelfinale war eine spärliche Grundlage der Hoffnung vor dem Finale. Das Tor erzielte natürlich Arjen Robben: Keiner repräsentierte die positive Kanalisierung der Emotionen aus den Vorjahren so sehr wie der Niederländer.

Diese Champions-League-Kampagne war auch seine persönliche: Wer dem Niederländer vor dem Hinspiel gegen Barcelona oder beim Aufwärmen im Wembley Stadion in die Augen blickte, der sah ein unglaubliches Feuer. Robben war schon immer sehr ehrgeizig. Er war auch schon immer höchst fokussiert vor Spielen und dann nur selten zum Spaßen aufgelegt. Doch 2013 war das alles noch viel intensiver. Das Finale gegen Chelsea und besonders die Pfiffe wenige Tage später machten ihn immer noch wütend. Dabei schuldete er den Fans des FC Bayern schon lange nichts mehr. 2010 hatte er sein Team fast allein ins Finale getragen. Auch 2012 wäre ohne Robben nicht viel drin gewesen. 2013 machte er wichtige Tore gegen Barcelona. Der Angreifer gab seinen Mannschaften so viel, wurde in seiner Karriere aber oft nicht an seinen Erfolgen gemessen, sondern auf seine Fehler reduziert. Ein Fehlschuss im WM-Finale 2010, der vergebene Elfmeter in der Bundesliga gegen Dortmund, das Versagen der Nerven gegen Chelsea … Arjen Robben aber stand immer wieder auf. Weil er es sich selbst beweisen wollte, und weil er es für diejenigen machen wollte, die an ihn glaubten.

Doch zunächst einmal wirkten die Bayern in ihrem Spiel steif und behäbig. Borussia Dortmund erwischte den besseren Start. Klopps Mannschaft presste hoch und erzwang gleich mehrere Fehler im Aufbauspiel der Münchner. Bayern konnte sich nur selten befreien. Nach einer halben Stunde hätte es mindestens 1:0 für die Schwarzgelben stehen müssen. Plötzlich waren all diese Gedanken wieder präsent: Drogbas Kopfball, Schweinsteigers Pfostenschuss, der entscheidende Elfmeter, die Tränen einer ganzen Stadt in einer furchtbaren Nacht. Eine Niederlage hätte die historische Bundesliga-Saison überschattet, und Bayern fand einfach nicht ins Spiel. Wieder drohte die Reduzierung eines ganzen Jahres auf diesen einen Moment, in dem es an den entscheidenden Nuancen fehlte.

Doch Heynckes und insbesondere Bastian Schweinsteiger stemmten sich gegen diese gedankliche Abwärtsspirale. Der Mittelfeldstratege machte es wie schon gegen Barcelona: Gegen Ende der ersten Halbzeit tauchte er mehrfach ganz tief in der eigenen Hälfte auf und verteilte die Bälle wie ein Libero. Dortmund verlor nach und nach den Zugriff auf das Ballbesitzspiel der Bayern, die sich immer mehr Chancen erspielten. Nun war es endlich ein Finale, in dem beide Teams im Spiel waren. Nach 30 Minuten hatte Robben die erste große Chance der Bayern. Er dribbelte alleine auf Weidenfeller zu, schoss den Torwart aber wuchtig an. Kurz vor der Halbzeit wiederholte sich diese Szene. Wieder fand Robbens Schuss nicht den Weg ins Tor. Es war unfassbar: Sollten seine Bemühungen erneut nicht belohnt werden? Würde er ein weiteres Mal in einem Finale zur tragischen Figur werden? Zwar hatte er das zwischenzeitliche 1:0 in der zweiten Halbzeit vorbereitet, doch wenig später glich Dortmund per Elfmeter aus. Selbst als er Weidenfeller endlich überwunden hatte, grätschte Subotic in letzter Sekunde dazwischen. Der Ball wollte einfach nicht rein.

Doch Robben war es egal, was das Schicksal mit ihm vorhatte. Er nahm es selbst in die Hand. Immer wieder rannte er an. Immer wieder war er der Antreiber für die gesamte Mannschaft. Das war sein Finale, und keiner sollte es ihm wegnehmen.

Als sich viele schon auf eine Verlängerung eingestellt hatten, kam noch ein langer Ball von Boateng. Ribéry leitete mit der Hacke auf Robben weiter. Wieder stand er alleine vor Weidenfeller. Im Bruchteil einer Sekunde schossen Bilder in meinen Kopf. Robben gegen Casillas. Robben gegen Weidenfeller. Robben gegen Čech. Immer und immer wieder hatten ihm die Nerven versagt.

Diesmal nicht. Diesmal spitzelte er den Ball überlegt am herausstürmenden Weidenfeller vorbei, und die Kugel kullerte ins Netz. Ich sprang auf, kniete nieder, und prügelte auf den Rasen ein, während sich Robben vor der Münchner Fankurve aufbaute und mehrmals laut »WHAT? WHAT? WHAT?« brüllte. Nicht einmal in diesem Moment konnte er kurz lächeln. Aber man spürte trotzdem, wie die Anspannung von ihm abfiel. Seine persönliche Geschichte in diesem Finale war gewiss nur eine von vielen, aber sie war vermutlich die, die am engsten mit der des FC Bayern zusammenhängt.

Ein langer Weg, den dieser Klub von 2009 an konsequent gegangen war, fand in Wembley seinen Höhepunkt. Sportlich und vor allem emotional. Niemals wird dieser Triumph die Tränen von 2012 gänzlich trocknen können, aber er war die maximal mögliche Wiedergutmachung. Ein absoluter Traum.

Direkt nach dem Triumph sagte Matthias Sammer: »Sie haben gezeigt, dass der Leitsatz gilt: ›Du musst einmal mehr aufstehen, als du hingefallen bist‹. Das macht echte Champions aus.« Damit meinte er die Mannschaft als Ganzes, aber vor allem auch Bastian Schweinsteiger und Philipp Lahm im Einzelnen. »Hier kommen die Führungsspieler, die keine Führungsspieler sind«, ließ Thomas Müller die Journalisten wissen, als er mit »Lahmsteiger« in die Interviewzone marschierte. Schweinsteiger hielt sich an seinem Champagner fest, grinste und genoss sichtlich den Moment. Die Krönung der »Generation Lahmsteiger« war nicht nur für diese beiden Spieler eine große Genugtuung.

Ein weiteres Highlight hatten die Bayern aber noch vor sich, denn auch im DFB-Pokal erreichten sie das Finale, wo sie in Berlin auf den VfB Stuttgart treffen sollten. Nach dem Champions-League-Triumph waren sich alle einig, dass das historische Triple jetzt nur noch eine reine Formsache wäre. Das war es nicht – stattdessen zeigte sich mal wieder, wie hart es ist, konstant auf dem höchsten Level zu bleiben. Bereits in der Trainingswoche vor dem Pokalfinale beklagten Heynckes und Hermann, dass die Mannschaft die Anspannung verloren habe. Das Training war ihnen nicht fokussiert genug. Aber zunächst schienen die Sorgen unbegründet zu sein. Müller und Gómez (2 x) sorgten für eine komfortable 3:0-Führung nach rund einer Stunde. Das Triple war ihnen anscheinend wirklich nicht mehr zu nehmen. Doch dann verlor die Mannschaft plötzlich an Biss und an Konzentration, ließ Stuttgart ins Spiel kommen. Ein Doppelpack von Harnik brachte die Schwaben zurück. Die letzten zehn Minuten zogen sich wie Kaugummi, und Bayern zitterte wie lange nicht mehr. Doch irgendwann war es endlich so weit: Abpfiff. Die Bayern hatten es geschafft, als erste Mannschaft in der gesamten Vereinsgeschichte. Wie groß dieser Erfolg war, wurde einem erst nach und nach wirklich bewusst. Was hatte der FC Bayern da im Jahr 2013 geleistet! Welch langen Weg war er gegangen! Wie viele Hürden waren dabei zu überwinden gewesen: Misserfolge und Qualen, Streitereien und Veränderungen, Tränen und Niederlagen!

Aber all das war es wert gewesen, weil immer wieder die richtigen Schlüsse gezogen wurden, ohne gänzlich vom Weg abzuweichen.

Auf dem Rathausbalkon am Münchner Marienplatz riefen Tausende Menschen seinen Namen: »Jupp, Jupp, Jupp«, hallte es durch die ganze Stadt. Heynckes hatte sich unsterblich gemacht. Allen Umständen zum Trotz hatte er niemals aufgegeben und immer weitergemacht. Wenn die Fans ihn feierten, war ihm immer eine Mischung aus Scham und Freude anzusehen. Er stand nie gerne im Mittelpunkt. Doch er genoss auch die Anerkennung. Eine persönliche Angelegenheit hatte er mit den Fans aber noch zu klären. »Ich habe, die Älteren werden sich erinnern, 1990 auf dem Balkon gestanden und ein bisschen großspurig den Europapokal versprochen«, fing Heynckes an. »Ich möchte mein Versprechen einlösen: Hier ist der Europapokal der Landesmeister, die Champions League«, verkündete er voller Stolz, während er den Pokal in den Münchner Himmel stemmte. Wenig später drehte er sich zu seinen Spielern um, als wolle er sagen: »Macht immer so weiter!«

Die goldene Generation

Einer dieser Spieler, zu denen sich Henyckes auf dem Münchner Rathausbalkon umdrehte, war Bastian Schweinsteiger. Seine Karriere gleicht einer Achterbahnfahrt. Zwischen den Jahren 2004 und 2006 als kommender Superstar gefeiert, hatte er in den Folgejahren mit seiner Rolle im Team, seinen Leistungen und seiner eigenen Persönlichkeit zu kämpfen. Erst als van Gaal ihn 2009 in das zentrale Mittelfeld versetzte, blühte »Schweini« wieder auf. Nun wurde er zunehmend zum Herz des bayerischen Spiels, zum Taktgeber. Gemeinsam mit Phillip Lahm war er spätestens seit 2011 der

Anführer der Mannschaft. Was in Deutschland regelmäßig für Diskussionen sorgte, weil die beiden in der Tradition des deutschen Fußballs nicht die gleich Außendarstellung hatten wie ihre Vorgänger. Ein Effenberg, beispielsweise, war stets omnipräsent. Dazu gehörten klare Ansagen, absolute Dominanz auf und neben dem Platz sowie wütende Interviews, in denen Teile der Medien angegriffen wurden. Effenberg war ein typisches Alphatier des Fußballs. Neben ihm hatte höchstens noch ein Oliver Kahn Platz – aber auch nur deshalb, weil die beiden auf dem Spielfeld weit genug voneinander entfernt waren, um sich nicht gegenseitig zu vermöbeln. Mark van Bommel war ein ähnlicher Typ. Im Mittelfeld war er sich für kein Foul zu schade. Auch verbal nahm er kein Blatt vor den Mund. Sie alle hatten gemein, dass sie sich auf ihre Art schützend vor die Mannschaft stellten.

Mit Schweinsteiger und Lahm veränderten sich die Hierarchien beim FC Bayern wie in der Nationalmannschaft. Den klassischen Führungsspieler gab es fortan nicht mehr, denn beide hatten den Ansatz, die Aufgaben eines Kapitäns auf mehrere Spieler zu verteilen. Das betraf also nicht nur sie selbst, sondern schnell auch Thomas Müller, Manuel Neuer, Dante und Daniel van Buyten. Später wurde auch noch Jérôme Boateng zunehmend in die Verantwortung genommen.

Mannschaftsräte gab es auch früher schon, aber beim FC Bayern konnte man den Eindruck gewinnen, dass es hier mehr als das gab – nämlich gleich mehrere Kapitäne. Oder, anderes ausgedrückt: eine flache Hierarchie, die einige Medien als Aufmacher für eine Typen-Diskussion nutzten. Nach den beiden verlorenen Champions-League-Finals 2010 und 2012, den herben Niederlagen gegen Borussia Dortmund und den regelmäßigen Niederlagen in Halbfinals oder Finals bei großen Turnieren mit der Nationalmannschaft gewann diese Debatte an Schärfe. Schweinsteiger tauche viel zu oft ab, Lahm sei zu leise – überhaupt würden im deutschen Fußball »richtige Typen« fehlen wie Effenberg oder Kahn.

Die einzige Grundlage der ganzen Diskussion waren die bis 2013 fehlenden großen Titel. Wie sehr sich der Fußball inzwischen verändert hatte, wie komplex er geworden war und warum schon deshalb verschiedene Aufgaben zwingend auf mehrere Schultern verteilt werden mussten, schien dabei keine Rolle zu spielen. Man brauchte Bauernopfer.

Dabei galt die »Generation Lahmsteiger« in den Jahren 2004 bis 2008 als Hoffnungsträger des deutschen Fußballs. Mit ihr schafften es viele exzellente Talente, sich bei großen Klubs zu etablieren. Schweinsteiger und Lahm waren die prägenden Gesichter dieses plötzlichen Aufschwungs. Sie wurden zu Vorbildern für viele Menschen meines Alters, und mit ihrer Geschichte fesselten sie selbst ältere Fans, die sich emotional zunehmend vom Fußball distanziert hatten. Doch als Dortmund zwei Jahre in Folge Meister wurde, begann die Stimmung in Teilen der Öffentlichkeit zu kippen.

»Ich bin kein Chefchen. Ich bin lange genug dabei, und jeder hört in der Kabine auf das, was ich sage«, wetterte Schweinsteiger 2011 auf einer Pressekonferenz sichtlich genervt. »Ich spiele mit Schmerzen, versuche jedes Mal, ein gutes Spiel hinzubringen. Und im Endeffekt bin ich der Idiot.« Deutlicher hätte er nicht machen können, wie sehr ihn die Vorwürfe störten, die vornehmlich aus der Ecke einer großen überregionalen Boulevardzeitung kamen. Damit belegte er aber auch, wie groß der Einfluss dieser Zeitung ist. Während Lahm mit der Debatte so umging, wie es sich gehört – nämlich nach dem schönen bayerischen Motto »gar nicht erst ignorieren« –, platzte Schweinsteiger der Kragen. Daraufhin machte ihn diese Zeitung zunehmend zum Spielball einer Kampagne. Leider so erfolgreich, dass die Kritik von immer mehr Leuten übernommen wurde.

Spätestens mit dem Triple zeigten »Lahmsteiger« aber, welche Substanz und Wertigkeit die Argumente ihrer Kritiker hatten: Sie marschierten einfach vorneweg, blieben sich und ihren Überzeugungen treu und ließen ihre Leistungen für sich sprechen.

Philipp Lahm hatte das schon immer so gemacht. Kaum ein anderer deutscher Spieler war jemals so professionell wie er. Viele bezeichnen das als »weichgespült« und kritisieren, ihm würden die Ecken und Kanten fehlen. Doch Lahm sprach die Dinge lieber intern an und ging nur dann an die Öffentlichkeit, wenn er den Eindruck hatte, dass ihm sonst nicht zugehört wird. Wie 2009, als er im Interview mit der *Süddeutschen Zeitung* die Debatte um eine klare Philosophie beim FC Bayern anstoßen konnte. Den Preis dafür – eine Rekordstrafe – zahlte er wohl gerne.

»Unbequem« wurde Lahm auch dann, als es darum ging, die Kapitänsbinde von Michael Ballack beim DFB endgültig zu übernehmen. Wie man all das bewerten möchte, liegt ganz im Auge des Betrachters. Nur: Fehlende »Ecken und Kanten« sind das Letzte, was man Lahm vorwerfen könnte. Intern und auf dem Platz ergänzte er sich hervorragend mit Schweinsteiger.

Die beiden wurden nicht erst mit dem Champions-League-Titel zu Führungsspielern. Auch wenn in Deutschland absurderweise erst die ganz großen Titel gewonnen werden müssen, um das nötige Gehör zu erhalten. »Lahmsteiger« führten die Bayern zwischen 2010 und 2013 dreimal ins Finale der Königsklasse. Sie durchschritten gemeinsam Täler, holten gemeinsam das Triple. 2014 wurden sie sogar gemeinsam Weltmeister. Und wie fast jede goldene Generation des Fußballs mussten sie zuvor viel einstecken, schwere Niederlagen erleben und dann richtig darauf reagieren. Das taten sie. Als sie zwischen 2007 und 2009 jeweils mit der Frage konfrontiert waren, ob sie den Klub verlassen, haben sie lange überlegt. Beide verlängerten ihre Verträge. Schweinsteiger argumentierte damals etwas klarer als Lahm, dass er lieber mit seinem Klub die Champions League gewinnen würde als mit jedem anderen auf der Welt. In München entwickelten sich die beiden kontinuierlich weiter, bis sie nicht mehr nur die Gesichter, sondern die Anführer und Identifikationsfiguren einer ganzen Generation waren.

Schweinsteiger war immer der emotionalere von den beiden. Seine Karriere verlief wellenartiger und hatte deutlich mehr Tiefpunkte als die seines Partners. Vielleicht war er auch deshalb immer der Fußballgott in München und noch etwas beliebter. Zu Lahm fand nicht jeder diese emotionale Nähe. Der war nie so spontan wie Schweinsteiger, sondern kühler, vorausschauender, analytischer. Gemeinsam ergänzten sie sich. Ihre Entwicklung verlief parallel zur Rückkehr des Rekordmeisters und der Nationalmannschaft in die Weltspitze. Sie prägten eine ganze Dekade. Mit ihnen stiegen Spieler wie Müller, Badstuber, Alaba, Kroos, Boateng und viele andere auf. Louis van Gaal, Jupp Heynckes und auch Pep Guardiola wussten das. Sie alle wussten zu jeder Zeit um die Qualität ihrer beiden Leader. Welch große Bedeutung diese beiden Spieler für eine ganze Fußballnation hatten, zeigte nicht zuletzt der Misserfolg der deutschen Mannschaft bei der WM 2018 in Russland – dem ersten Turnier ohne einen dieser beiden Ausnahmekönner.

Wer die Karrieren von Schweinsteiger und Lahm immer aufmerksam verfolgt hat, dem kann ihre Einzigartigkeit kaum verborgen geblieben sein. Letztlich vielleicht nicht mal jener großen, überregionalen Tageszeitung …

Kapitel 3: 2013–2016

Guardiola und die Erwartungen

Guten Tag, grüß Gott, meine Damen und Herren. Verzeihen Sie mir mein Deutsch«: Das waren die ersten Worte, die Josep »Pep« Guardiola i Sala im Juni 2013 vor versammelter Presse sprach. Die ganze Welt blickte auf ihn. Das war selbst für einen Klub wie den FC Bayern eine ganz neue Dimension. Die Verpflichtung des Mannes, der den FC Barcelona auf eindrucksvolle Art und Weise zur besten Mannschaft der Welt gemacht hatte, rückte auch den Verein schlagartig ins Blitzlichtgewitter der Weltöffentlichkeit. Dieser Transfer war der Beweis, dass die Münchner in der Weltspitze des Fußballs angekommen waren. Fast alle Top-Klubs der Welt hatten um diesen Trainer geworben – einen Mann, der den Weltfußball merklich veränderte und prägte. Sein Barcelona galt als das ästhetische Maximum dieses Sports. In allen Ländern der Erde strebten Trainer nach dem, was der Katalane vormachte. Da waren nicht nur die 14 Titel, die er in lediglich vier Jahren holte. Da war vor allem die Art und Weise, wie das geschah. Barcelona erdrückte seine Gegner förmlich.

»Das Ziel ist es, den Gegner zu bewegen, nicht den Ball«, sagte Guardiola einst. Wie Cruyff und van Gaal setzte auch er auf das Positionsspiel. Dessen perfekte Umsetzung erlaubte seinen Spielern in Barcelona einerseits, dass sie den Ball nur selten hergaben. Andererseits ermöglichte es den direkten, unmittelbaren Zugriff auf den

Gegner nach Ballverlusten. Mit Busquets als Taktgeber, Iniesta und Xavi als Strategen sowie Messi als Hirn der Offensive gab es kaum Situationen, in denen das Gegenpressing nicht einen unfassbaren Druck auf den Gegner ausübte. Diese Spieler hatten nicht nur die Klasse, sondern auch die nötige Intelligenz, um Situationen zu lesen und vorherzusehen. Kombiniert mit Guardiolas Anpassungen ergab das eine an Ästhetik wie an Zielstrebigkeit nicht zu übertreffende Symbiose. Guardiola passte sein Positionsspiel an jeden Gegner an, verbrachte viele Stunden mit Videoanalysen. Je nach Ausrichtung der anderen Mannschaft variierte er die Formation und vor allem die taktischen Mittel. Immer in Nuancen, denn die Maxime seines Spiels blieb stets dieselbe: gnadenlos attraktiver Offensivfußball. Allerdings mit dem Ziel, dass die Positionierung der Spieler ein gutes Umschalten in die Defensivarbeit ermöglichte.

In der Nachbetrachtung der großen Erfolge wird oft vergessen, dass Guardiolas Mannschaften trotz ihres risikoreichen Spiels fast immer die wenigsten Gegentore kassierten. Ohne dieses erdrückende Gegenpressing wäre das kaum möglich gewesen.

Dementsprechend hoch war dann aber auch die Erwartungshaltung an den Trainer im Jahr 2013. Nach dem sensationellen Triple der Bayern war die Euphorie ohnehin kaum zu bremsen, und dann kam auch noch der wohl beste Trainer zur damals besten Mannschaft der Welt. Guardiola war das von Beginn an klar: »Ich übernehme eine Mannschaft, die in der letzten Saison außergewöhnlich gespielt hat. (…) Wenn du als Trainer bei Bayern München bist, egal wie die Voraussetzung ist, musst du gewinnen.« Ein erneutes Triple war vom ersten Moment an die Messlatte der Öffentlichkeit, die er erreichen musste. Rückblickend kann man sagen, dass das schon der erste Fehler war: Ein in der Vereinsgeschichte einmaliger Erfolg sollte als wichtigster Indikator dafür dienen, ob ein Trainer beim FC Bayern zukünftig als erfolgreich oder nicht erfolgreich gilt? Absurd. Aber natürlich hatten auch die Verantwortlichen des Klubs bei seiner Verpflichtung durchaus im Hinterkopf, dass in der damaligen Spielergeneration noch ein weiterer Champions-League-Titel stecken könnte. Was dieses Ziel anging, kam Guardiola genau zum richtigen Zeitpunkt. Außerdem passte der Katalane perfekt in die Reihe mit Louis van Gaal und Jupp Heynckes.

Die interne Erwartungshaltung war, dass der Katalane es schafft, den Höhepunkt der Generation Lahmsteiger noch ein bisschen zu strecken. Viele große Mannschaften haben es nicht geschafft, ihre Ära über einen längeren Zeitraum auszudehnen. Nach dem Triple konnte die neue Saison im Prinzip nur weniger erfolgreich werden. Mit Guardiola sollte sportlich der nächste Schritt getan werden, um sich in der Weltspitze zu etablieren und weiterhin im engen Kreis der Favoriten zu verweilen, die den Pokal mit den großen Ohren unter sich ausmachen.

Das beste Mittel, um nach großen Titeln erfolgreich zu bleiben, ist die Veränderung. Im Detail. Denn Guardiola war sich bewusst, dass es keine Revolution brauchen würde: »Wenn eine Mannschaft viel gewonnen hat, muss man wenige Änderungen tätigen. Die Mannschaft ist sehr gut.«

Darüber hinaus ließ er schon früh durchblicken, dass er den FC Bayern nicht zum FC Barcelona machen wolle. Die Kader dieser beiden Teams waren einfach viel zu unterschiedlich. Während die Spanier eher durch die Mitte kombinierten, traf er in seiner neuen Mannschaft auf Spieler, die es gewohnt waren, über die Flügel anzugreifen.

Guardiola war nie ein Trainer, der einer Mannschaft seine Philosophie überstülpte. Eine hundertprozentige Anpassung der Bayern an Barcelonas Positionsspiel war deshalb nie vorgesehen. Stattdessen stützte er sich auf die Ideen, die van Gaal und Jupp Heynckes bereits umgesetzt hatten, und ergänzte diese um seine eigenen Vorstellungen. Wer also dachte, dass sich beim FC Bayern alles um 180 Grad drehen würde, der lag falsch. Guardiola führte den Prozess fort, den der Klub seit 2009 durchlief, und der mit dem Triple längst nicht abgeschlossen war. Trotzdem hatte man in der Anfangsphase zunächst den Eindruck, als würde sich alles verändern. Bayern-Experte Steffen Meyer hielt nach den ersten drei Trainingswochen die folgenden Erkenntnisse auf *Miasanrot.de* fest: »Auch ich habe mich in den vergangenen Tagen ein wenig anstecken lassen von der Sorge vor zu viel Veränderung (…) Guardiola liebt den Fortschritt. Er wird den Versuch unternehmen, mit diesem Verein und diesem Kader die Grenzen dieses Fortschritts auszutesten. Es ist nicht nur sein Recht, sondern geradezu seine Pflicht in dieser Phase der Vorbereitung, Ideen zu verfolgen, und Varianten zu erproben.«

Dieser kurze Ausschnitt zeigt, wie heikel Guardiolas Antrittsbedingungen waren. Einerseits freute sich fast jeder auf die revolutionären und großartigen Ideen, die der Katalane bereits in Barcelona erfolgreich umgesetzt hatte. Andererseits war da die große Sorge, dass die Spieler, der Klub und die vorhandenen Strukturen gar nicht für diese Philosophie gemacht waren. Warum etwas verändern, wenn es doch schon funktioniert? Diesen Balanceakt galt es zu meistern.

Jahr 1: Veränderungen und Probleme

Guardiola kam nicht nach Deutschland, um dem Land seinen Stempel aufzudrücken. Er kam nach München, um seine Ideen mit einer anderen Kultur verschmelzen zu lassen und seine eigene Philosophie weiterzuentwickeln. Aber gerade in München, wo das Selbstverständnis von Fans, Spielern und Vorstand riesig ist, traf er im ersten Jahr – der Saison 2013/14 – auf viele Hindernisse. Schlüsselspieler wie Robben, Ribéry und Mandžukić hatten unter

Heynckes erfolgreiche Mechanismen entwickelt, um Tore zu erzielen. Die Art und Weise, wie sich die drei Angreifer freiliefen, passte aber nicht zum Positionsspiel Guardiolas. Die Flügelspieler warteten zu sehr auf den Ball, bewegten sich manchmal nicht aktiv genug in die gewünschten Räume. Mandžukić wiederum kippte häufig heraus, verließ damit seine Position und öffnete seinen Teamkollegen Räume. Was unter Heynckes noch sehr wertvoll war, machte in Guardiolas System nicht mehr so viel Sinn, weil damit das Zentrum unterbesetzt war. Darüber hinaus zeigte der Kroate technische Schwächen, die das eigene Spiel lähmten. Es gab keinen Zielspieler mehr im Zentrum, und das war für den Stürmer nicht ideal.

Im Mittelfeld musste Guardiola in München auf Spieler wie Iniesta und Xavi verzichten. Kroos und Schweinsteiger verfügten zwar über großartige strategische und technische Fähigkeiten, doch die Barça-Legenden hatten in ihrem Zusammenspiel nochmal ein anderes Niveau. Besonders mit der Identifikationsfigur Schweinsteiger hatte Guardiola stets seine Mühen. Der Trainer nahm diese Situation aber an. Schweinsteiger war nicht nur die herausragende Persönlichkeit der vorangegangenen Jahre gewesen, sondern auch der Publikumsliebling. Für Guardiola hieß das, dass er sich um jeden Preis arrangieren musste. Seine Lösung hieß zunächst Thiago Alcántara.

»Thiago oder nix!« Diese drei Worte bekamen in kurzer Zeit Kultstatus in München. Noch im ersten Trainingslager am Gardasee forderte Guardiola mit aller Deutlichkeit seinen ehemaligen Spieler vom FC Barcelona. Thiago kannte nicht nur Guardiolas Persönlichkeit und seine Ideen, er galt sogar als legitimer Nachfolger Iniestas. Trotzdem blieb er seinerzeit immer im Schatten der spanischen Legende. Der Schritt zum FC Bayern war für ihn eine große Chance, sich endlich auf der großen Bühne zu beweisen. Und Guardiola brauchte Thiago, um seine Philosophie im Mittelfeld schneller und stärker umsetzen zu können.

Auch Götze sollte ein Teil dieser Ideen werden. Der damals 21-Jährige wurde in der Öffentlichkeit ebenfalls als Wunschspieler Guardiolas verkauft. Das war er aber nicht. Viel lieber hätte der neue Trainer Neymar im Trikot der Münchner gesehen. Doch der Brasilianer vom FC Santos kostete einerseits zu viel Geld – andererseits hate er sich noch nicht in einer größeren Liga bewiesen.

Aus heutiger Perspektive liest sich das wie ein Fehler. Letztendlich hatten die Bayern aber sehr gute Argumente auf ihrer Seite. Barcelona musste schließlich Unmengen an Geld für den späteren Superstar auf den Tisch legen und sich gleichzeitig mit dubiosen Steuergeschichten herumplagen.

Trotzdem halten es viele bis heute für eine verpasste Chance, endlich einen richtigen Superstar zum FC Bayern zu holen. Der Klub hat sich damals an eigene Prinzipien gehalten und somit eine konsequente, durchaus harte aber richtige Entscheidung getroffen.

Die Transfers von Götze und Thiago reichten aber schon aus, um die Qualität im Mittelfeld weiter anzuheben. Dort lag schließlich das Hauptaugenmerk des neuen Trainers. Nur leider hatte Guardiola in München schon zu Beginn großes Pech. Thiago laborierte ebenso wie Götze immer wieder an Verletzungen. Dabei zeigten die beiden Künstler gerade im ersten Aufeinandertreffen mit Borussia Dortmund in der Bundesliga, welch großartige Qualitäten sie haben.

Es schien ein Fingerzeig für die Zukunft zu sein. Lange Zeit war die Partie ausgeglichen. Dann wechselte Guardiola in der 56. Spielminute Götze für Mandžukić und acht Minuten später Thiago für Boateng ein. Es dauerte keine weiteren zwei Minuten, ehe Götze an alter Wirkungsstätte den Führungstreffer besorgte. In der Restzeit spielte das Duo den BVB schwindelig. Thiago bediente Robben mit einem Traumpass zum zweiten Treffer, Müller legte sogar noch mit einem dritten zum Endstand (0:3) nach.

Durch die vielen Verletzungen der beiden musste Guardiola aber häufig improvisieren. Schweinsteiger war für ihn nicht der Stratege, den Heynckes in ihm sah. Im System des Katalanen brauchte es einen Ballverteiler, der noch handlungsschneller reagierte. In der Schaltzentrale gab es nämlich eine entscheidende Veränderung: Heynckes setzte meist auf eine 2-1-Staffelung, weil er wusste, dass Schweinsteiger alleine Probleme bekommen würde. Vor zwei Sechsern agierte mit Kroos oder Müller ein offensiver Zehner. Für Guardiola gab es keinen klaren Zehner, sondern nur den Zehner-Raum, den es je nach Situation von unterschiedlichen Spielern zu besetzen galt. Seine Staffelung im zentralen Mittelfeld war durch zwei Achter vor einem Sechser geprägt. Das forderte vom Sechser mehr Laufarbeit, strategisch kluges Verhalten und eine gute Absicherung bei Gegenstößen des Gegners. Schweinsteiger war dafür nicht gemacht. Er brauchte immer eine weitere Absicherung, um perfekt zu funktionieren. Guardiola setzte ihn deshalb in etwas höheren Zonen ein. Sein neuer Stratege auf der Sechs hieß zunächst Philipp Lahm. Warum diese Entscheidung goldrichtig war, zeigten die Bayern bereits früh in der Guardiola-Ära. Im Oktober 2013 waren sie bei Manchester City zu Gast. Lahm brillierte als Sechser, Kroos als Ballverteiler und Schweinsteiger als herausragendes Bindeglied. Der Trainer hatte seine optimale Mischung anscheinend gefunden.

Schon früher in der Saison hatte Guardiola Lahm als Sechser eingesetzt. Aber gegen Manchester City sah man erstmals auf hohem Niveau, welche Auswirkungen diese Entscheidung hatte. Beobachtete man nur Philipp Lahm, so sah man alles, was notwendig war, um den 3:1-Auswärtssieg zu erklären. Immer, wenn sich der Kapitän bewegte, bewegten sich auch die Spieler um ihn herum – stets in den jeweils richtigen Abständen. Das gesamte Netz (siehe Abb. 6, S. 82) bewegte sich über das Spielfeld und sorgte dafür, dass Man-

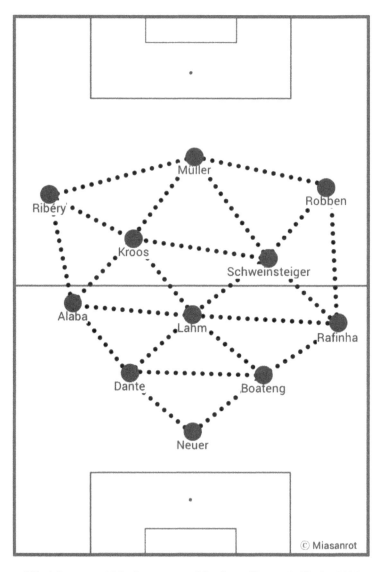

Abb. 6 *Positionsspiel der Bayern gegen Manchester City am 2. Oktober 2013: Lahm als Schaltzentrale. Um ihn herum entstand ein Netz aus Dreiecken, das den Bayern eine sichere Ballzirkulation ermöglichte.*

chester City so gut wie nie in gefährlichen Ballbesitz kam. Mit Lahm als Motor, Antreiber und Taktgeber zog sich das Netz mal auseinander, um dem Spiel Breite zu geben, mal verengte es sich, um gewisse Zonen zu überladen oder das Spiel kompakt zu machen. Lahm war der Dirigent eines Orchesters, das nur auf seine Bewegungen reagierte.

Am Ende des Spiels hatten die Bayern 66 Prozent Ballbesitz, eine Passquote von 89 Prozent und 21 Abschlüsse auf ihrem Konto. Manchester City fand zu keiner Zeit ins Spiel, weil Lahm und seine Mitspieler das Zentrum kontrollierten.

Das Mittelfeld gewinnt Spiele: ein Credo, das unter Guardiola immer zählt. Dort entscheiden Balance, Positionierung und Sicherheit über das Resultat. »Die Leute können nicht verstehen«, seufzte Guardiola, »wie glücklich Pep war, Philipp Lahm als Fußballer zu haben.« Diesen Satz äußerte der Katalane am Ende seiner Bayern-Zeit. Nicht Thiago, Schweinsteiger, Neuer oder ein anderer Spieler, sondern Philipp Lahm war der wichtigste Spieler, den Guardiola für all seine Veränderungen hatte. Der Trainer lobte seine Spieler oft in der Öffentlichkeit. Meist auch mit einer Überschwänglichkeit, die seine Komplimente eher abschwächt als sie glaubwürdig zu machen. Doch bei Lahm ist das anders. Mit dem Kapitän stand und fiel alles, was Pep Guardiola beim FC Bayern vorhatte. Er war das entscheidende Puzzleteil für alle Systeme und der jeweils erste Ansprechpartner unter den Spielern, wenn Guardiola neue Ideen an die Mannschaft herantragen wollte. »Er ist eine absolute Legende und der intelligenteste Spieler, den ich je in meiner Karriere trainiert habe.« Auch das ist ein Satz, den Guardiola über seinen Kapitän äußerte. Im Spiel gegen Manchester City zeigte sich, warum er das so sah. Bei oberflächlicher Betrachtung war es wieder einer dieser typischen Lahm-Auftritte: keine Fehler, aber auch keine besonderen Aktionen. Bei genauem Hinsehen offenbarte sich dagegen eine ganze Fußballwelt.

Wer Lahms Spiel verstand, verstand auch das Spiel seiner Mannschaft. Egal auf welcher Position er spielte. An jenem Abend war es das zentrale Mittelfeld.

Auch die zweite große Veränderung, die Guardiola aus taktischer Sicht mitbrachte, war an Philipp Lahm angepasst. Spielte der Kapitän nicht im Mittelfeld, so ließ der Trainer Toni Kroos auf der Sechs ran, dessen Potenzial mit dem Ball enorm war. Kroos hatte die Fähigkeiten, das Orchester genauso zu leiten, wie Lahm es tat. Vielleicht sogar noch besser. Allerdings konnte er diese Position nicht alleine spielen. Dafür war er bei Ballverlusten seiner Mannschaft zu unsicher und nicht aggressiv genug. Deshalb ließ Guardiola die Außenverteidiger zur Unterstützung einrücken. Lahm und Alaba unterstützen ihren Sechser, und es entstand eine 2-3-Staffelung im Aufbauspiel. Die Achter konnten dadurch höher schieben und die Flügelstürmer Breite geben. Das insgesamt höhere Mittelfeld sollte den Außenspielern helfen.

Guardiola wusste, dass Robben und Ribéry der Schlüssel seiner Offensive waren. Während in Barcelona eher das Zentrum im Fokus stand, musste er sein Positionsspiel in München auf diese Spieler fokussieren. Durch die hohen Achter erschwerte er den Gegnern den Zugriff auf »Robbéry«. Die einrückenden Außenverteidiger sicherten wiederum ab, sorgten aber auch dafür, dass das Spiel weniger berechenbar wurde. Durch sie wurde vorzugsweise über die Mitte oder die Halbräume aufgebaut. Erst dann kam der Ball auf die Außen, wo Ribéry und Robben deutlich mehr Platz hatten, weil sich das Spiel vorher zusammenzog.

Das war einer der ersten Grundsätze, die die Spieler des FC Bayern lernen mussten. Im neuen Positionsspiel gab es fünf vertikale Korridore (siehe Abb. 7). Vertikal durften maximal zwei Spieler auf einer Linie stehen. Horizontal waren es maximal drei Spieler, die auf einer

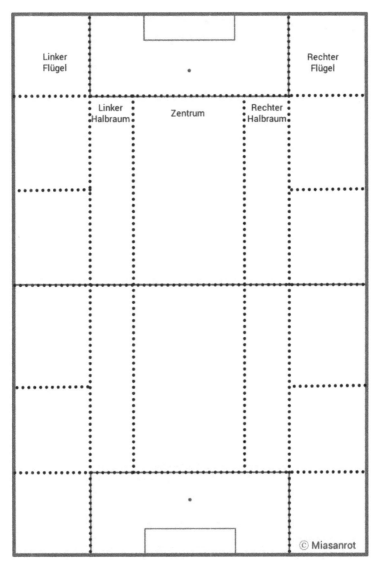

Abb. 7 *Guardiolas Spielfeld besteht aus 20 Zonen. In den fünf vertikalen Korridoren sollen sich im Idealfall maximal zwei Spieler auf einer Linie befinden. Horizontal dürfen maximal drei auf einer Höhe sein.*

Höhe stehen durften. So entstanden automatisch Dreiecke, manchmal sogar Rauten, die eine saubere Ballzirkulation ermöglichten. Guardiola achtete zudem strikt darauf, dass sich auf den Außenbahnen so wenig Spieler wie möglich gleichzeitig befanden. Dort werden Spieler nämlich durch die Außenlinie begrenzt, was dem Gegner einen besseren Zugriff ermöglicht.

Es war nicht wichtig, wer die jeweiligen Räume besetzte. Wichtig war nur, dass ein Netz aus Dreiecken entstand. Ziel war es, dem ballführenden Spieler immer so viele Anspieloptionen zu geben, dass er den Ball schnell weiterspielen konnte. Im Idealfall führte das zu Situationen, in denen der Gegner nicht mal die Chance hatte, in einen Zweikampf zu kommen. Durch die schnellen Pässe und die ständige Bewegung wurde auch der Gegner in Bewegung gebracht, bis eine Lücke entstand. Dann zogen die Bayern plötzlich das Tempo an.

Durch das Positionsspiel sollten zudem noch effektivere Wege gefunden werden, um einen der Außenspieler freizuspielen oder die eigene Überzahl in einem Bereich des Spielfelds für Kombinationen in den gegnerischen Strafraum zu nutzen.

Zunächst versuchte Guardiola, dies über einen Spielaufbau durch die Mitte oder die Halbräume zu erreichen. Erst von da sollte der Ball auf die Außen gehen, um so spät wie möglich die Breite zu suchen. Die Idee dahinter: Der Gegner zieht sich erst zusammen und wird dann durch den Pass auf den Flügel überrascht. Robben und Ribéry bekamen dadurch mehr Freiheiten, und für die Bundesligisten wurde es immer schwieriger, die beiden zu doppeln.

Guardiola hatte bei seinen Veränderungen aber nicht alle von Anfang an auf seiner Seite. Gerade mit gestandenen Spielern gab es hin und wieder Diskussionen über das System. Nach einem Jahr, in dem alles funktioniert hatte, war nicht jeder davon überzeugt, das System um neue Elemente zu ergänzen und gewisse Mechanismen neu einzustudieren. Tatsächlich führte das in einigen Phasen der Saison auch zu einigen Schwachstellen. So fehlte den Bayern in manchen Spielen eine Absicherung des offensiven Positionsspiels. Nicht immer schoben die Spieler so nach, wie Guardiola sich das erhofft hatte. Unsaubere Zuspiele und eine nicht ideale Besetzung der Räume in der Offensive verschärften die Kritik am Trainer, die auch intern zunahm. Guardiola fand trotz der erläuterten taktischen Mittel keine Ideallösung, um die Spielfeldmitte dauerhaft zu kontrollieren.

Auf die Spitze getrieben wurde dieser Konflikt im Champions-League-Halbfinale gegen Real Madrid 2014. Im Hinspiel machte die Mannschaft kein schlechtes Spiel. Ancelottis Madrid schaffte es dennoch, hin und wieder Räume zum Kontern zu finden, die die Münchner nicht ausreichend im Griff hatten. Madrid gewann schließlich zu Hause mit 1:0. Aufgrund der ausgelassenen Chancen war die Kritik am Offensivsystem Guardiolas riesig. Es sei zu konteranfällig und die Mannschaft ins offene Messer gelaufen, hieß es damals. Tatsächlich war der Unterschied aber nur, dass Real vor dem Tor eiskalt war und beispielsweise Götze seine große Gelegenheit zum Ausgleich liegen ließ.

Lahm berichtete später davon, dass der Trainer sich nach dem Hinspiel mit sechs Spielern zusammengesetzt, seine Strategie fürs Rückspiel präsentiert und um Meinungen gebeten habe. Letztlich sei es darauf hinausgelaufen, dass die Spieler damit nicht einverstanden waren. Sie wollten es so machen wie unter Jupp Heynckes. Guardiola reagierte auf die Wünsche seiner Spieler und stellte entgegen seiner eigenen Überzeugung um. Lahm rückte vom Mittelfeldzentrum zurück auf die Rechtsverteidiger-Position, Kroos und Schweinsteiger von der Doppelacht zurück auf die Doppelsechs, und Müller, der für Rafinha kam, ging auf die Zehn. Guardiolas 4-1-4-1 wurde so wieder zum 4-2-3-1. Ergebnis: Die Bayern gingen mit 0:4 unter. Nicht, wie es gerne dargestellt wird, weil sie von Kontern überrannt wurden, sondern weil sie keine Einheit waren und zu keiner Zeit Kontrolle im Mittelfeld bekamen. Nach zwei Standard-Toren fiel das Team komplett auseinander.

Nach dem Spiel stellte sich Guardiola der Presse und sagte: »Das war ein Riesenfehler vom Trainer. Der Trainer hat es nicht gut gemacht. Wir hatten nur Basti (Schweinsteiger) und Toni (Kroos) im Mittelfeld, da kannst du Madrid nicht kontrollieren.« – Ein Eingeständnis, das seit Lahms Aussagen in einem anderen Licht steht.

Auch Martí Perarnau, Guardiolas Biograf, sprach von Unstimmigkeiten zwischen Mannschaft und Trainer. Er sagte aber auch, dass diese zwei Wochen maßgeblich dafür verantwortlich waren, dass die Spieler verstanden, was Guardiola von ihnen wollte. Dass diese harte Niederlage entscheidend mitgeholfen habe, dass Spieler und Trainer enger zusammenwuchsen.

Diese dramatische Zuspitzung seiner ersten Saison 2013/14 überschattete viele Erfolge. Immerhin hatte der FC Bayern erneut fast alles gewonnen, was es zu gewinnen gab. Schon früh in der Saison, im August 2013, hatte es mit dem UEFA-Super-Cup-Finale ein erstes großes Highlight gegeben – ausgerechnet gegen den FC Chelsea und ausgerechnet mit Mourinho als Trainer, der bis heute zum absoluten Rivalen Guardiolas hochstilisiert wird.

Selten hatte ein Super-Cup-Finale so viele Emotionen und Geschichten zu bieten. Obwohl der Pokal nicht die allerhöchste Wertschätzung in Europa genießt, war beiden Teams anzumerken, dass sie ihn gewinnen wollten. Bei den Bayern schwang immer auch die Erinnerung an dieses schreckliche »Finale Dahoam« mit. Diesmal war es aber ein ausgeglichenes Spiel und längst keine so einseitige Angelegenheit mehr wie noch das Champons-League-Finale im Mai 2012. Chelsea stand wieder tief, konnte aber einige Nadelstiche setzen. Schon nach acht Minuten gingen sie durch Fernando Torres in

Führung. Das spielte der Mourinho-Mannschaft natürlich in die Karten. Bis zur zweiten Halbzeit waren die Bayern nicht in der Lage, die starke Defensive Chelseas zu knacken. Dann aber wurde Prag, wo das Finale stattfand, zur Bühne für Franck Ribéry. Frisch zu »Europas Fußballer des Jahres« gekürt, wollte der Dribbler seine Mannschaft um jeden Preis zum Sieg tragen. Im ersten Durchgang hatte er beste Chancen vergeben, doch in der 47. Minute reichte es ihm: Aus gut 20 Metern wuchtete er den Ball ins Tor. Ausgleich. Wichtig. Für die Nerven aller Bayern-Fans, die eine ähnliche Schlacht wie im Jahr 2012 erwartet hatten. Aber auch für die Mannschaft, der zu großen Teilen das Trauma anzumerken war.

Trotzdem war hier aber auch der Prozess spürbar, der aus einer unerfahrenen Mannschaft, die kleinere Rückschläge aus der Bahn werfen konnte, eine Einheit von Weltformat machte. Guardiola musste in diesem Finale auf Bastian Schweinsteiger verzichten. In der jüngeren Vergangenheit hatte das die sichere Niederlage bedeutet. Mit Lahm als neuen Strategen im Zentrum konnte der Katalane die entstandene Lücke aber weitestgehend schließen. Erstmals hatte man nicht das Gefühl, dass Schweinsteiger seinem Team allzu sehr fehlen würde. Trotzdem entwickelte sich das Duell zu einem ähnlichen Drama wie im Jahr davor: ein Lattentreffer für Chelsea hier, ein knapper Fehlschuss von Toni Kroos dort – beide Teams hatten genügend Chancen, um nach 90 Minuten die Entscheidung herbeizuführen. Es gelang aber nicht. Nicht mal in Überzahl, weil Ramires kurz vor dem Ende die rote Karte sah. So kam es erneut zur Verlängerung. Und die startete mit einem Paukenschlag: Hazard zog nach nur drei Minuten in die Mitte und schloss gezielt ab. 2:1 für Chelsea.

Ich kann nicht behaupten, dass ich so nassgeschwitzt war wie 2012. Das Spiel hatte aber eine gewisse Bedeutung. Ich wollte nicht schon wieder mit ansehen, wie diese Mannschaft die Bayern wegmauert. Okay, sie hatten diesmal deutlich mehr Akzente nach vorn gesetzt, doch es blieb dieses Gefühl, dass all der Aufwand für tollen Offensivfußball wieder nicht belohnt würde. Immer und immer wieder rannten die Bayern an. Im Eishockey gibt es für solche Situationen den Begriff »Powerplay«. Mandžukić, Martínez und Shaqiri hatten große Möglichkeiten, aber sie ließen sie alle aus. Klar, der FC Bayern hatte den wichtigsten aller Pokale endlich gewonnen. Was macht da schon eine Niederlage im Super Cup? Die Verarbeitung wäre sicher einfacher. Und doch kamen ständig diese Flashbacks in mir hoch. Drogba. Kopfball. Tor. Verlängerung. Robben verschießt. Schweinsteiger verschießt. Wieder Drogba. Tor. Ende. Tränen. Bitte nicht schon wieder!

In der 122. Spielminute gab es schließlich noch einen letzten Anlauf. Drei Sekunden waren es noch bis zum Ende der Nachspielzeit. Flanke Alaba. Der Ball segelte in den Strafraum, wo sich sechs Rote gegen acht Blaue durchsetzen mussten. Noch zwei Sekunden. Dante bekam die Kugel an seinen Körper, von wo sie wegsprang. Absolutes Chaos im Strafraum. Noch eine Sekunde. Plötzlich tauchte Martínez auf. Keiner hatte den Spanier im Blick. Ein zielgenauer Schuss, und die Bayern würden sich ins Elfmeterschießen retten. Hinter dem Tor rissen tausende Bayern-Fans die Augen auf und die Hände hoch. Martínez schoss. Čech hatte nicht den Hauch einer Chance. Ausgleich. Guardiola, Sammer, alle Spieler, alle Fans – es gab kein Halten mehr. Als hätten die Bayern den Pokal schon gewonnen. Ich sprang von der Couch auf, riss die Arme hoch und schloss mich der Party an, bis ich realisierte, dass da noch ein Elfmeterschießen wartete.

Allerdings mit umgekehrten Vorzeichen.

In München hatte Bayern damals unter größerem Druck gestanden. Sie waren das Team, das kurz vor dem Ende überrumpelt wurde. 2013 drehten sie den Spieß um. Das Spiel war schon verloren, als Martínez zur Wiederbelebung ansetzte. Und mit dem Gedanken im

Hinterkopf, dass sie den Abgrund bereits gesehen hatten, traten die fünf Schützen an. Alaba, Kroos, Lahm, Ribéry, Shaqiri – einer selbstbewusster als der andere. Fünf Treffer, keinerlei Anzeichen von Nerven. Doch auch Chelsea hatte bereits vier versenkt. Dann kam Lukaku und mit ihm der Moment, in dem der Alptraum besiegt wurde. Neuer parierte den entscheidenden Elfmeter und entließ Guardiola in seine erste richtige Partynacht beim FC Bayern. So wenig Prestige dieser Pokal hatte, so sehr war es eine Genugtuung, das Trauma gegen Chelsea besiegt zu haben. Nicht gänzlich, aber die Kombination aus Champions-League-Gewinn und Sieg im Elfmeterschießen des Super-Cup-Finals entschädigten zumindest in großen Teilen die Leiden von 2012.

Mit diesem Titel im Rücken fiel es den Bayern auch leichter, die Konstanz über eine lange Saison hinweg zu halten. Mit der FIFA-Klub-Weltmeisterschaft kamen nämlich im Winter zwei weitere Spiele hinzu. Durch ein 3:0 gegen Guangzhou Evergrande und das 2:0 im Finale gegen Raja Casablanca holten die Bayern den fünften großen Titel des Jahres 2013: Bundesliga, DFB-Pokal, Champions League, UEFA Super Cup und eben jene Klub-Weltmeisterschaft. Pep Guardiola ritt auf der Welle des Erfolgs voran. Dabei profitierte er zwar einerseits von den vorhandenen Strukturen – andererseits hatte er aber auch an den richtigen Schrauben gedreht, um sein erstes Jahr zu einem fast perfekten Übergangsjahr zu machen.

In ihrer ersten Bundesligasaison 2013/14 hätte Guardiolas Mannschaft sogar um ein Haar erneut den Punkterekord gebrochen. Am Ende scheiterte dies an einer Schwächephase Anfang April. Ein Unentschieden gegen Hoffenheim sowie die darauffolgenden Niederlagen gegen Augsburg und Dortmund sorgten dafür, dass Guardiola letztlich einen Punkt vom Ergebnis der vorherigen Saison (91 Punkte) entfernt war. Dass ihm die Punktzahl aber relativ unwichtig war, zeigten die Aufstellungen in jenen Begegnungen. Priorität hatten ganz klar die Spiele gegen Real Madrid und das neuerliche Aufeinandertreffen mit Borussia Dortmund im letzten Spiel dieser Saison: dem DFB-Pokalfinale im Mai 2014.

Vor diesem Endspiel gab es in München Unruhe. Nicht nur wegen des Ausscheidens im Halbfinale der UEFA Champions League gegen Real Madrid einen Monat zuvor, sondern vor allem, weil Pep Guardiola Mario Mandžukić nicht mit nach Berlin nahm. Der Kroate soll sich in den Wochen zuvor mehrfach provokant und respektlos im Training verhalten haben. Also trat die Mannschaft nur mit Pizarro als echtem Stürmer im Kader die Reise nach Berlin an. Darüber hinaus war Ribéry nicht fit genug für die erste Mannschaft, Schweinsteiger und Alaba waren verletzt. Folglich musste Guardiola Ideen entwickeln, um das Angriffspressing des Gegners zu umspielen. Dortmund hatte eine schlagkräftige Offensive aufgestellt und konnte auch sonst auf den Großteil seines Kaders zurückgreifen. Der Bayern-Trainer entschied sich dazu, eine Fünferkette auf den Platz zu schicken: Dante, Martínez und Boateng wurden von Rafinha auf der linken und Højbjerg auf der rechten Seite flankiert. Letzterer hatte in der laufenden Saison nur 285 Minuten für den FC Bayern absolviert. Ausgerechnet im wichtigen Finale gegen Borussia Dortmund sollten mindestens weitere 90 hinzukommen? Gewagt.

Das zentrale Mittelfeld bestand aus Philipp Lahm und Toni Kroos, die wiederum situativ von Mario Götze unterstützt wurden, der von der halblinken Seite auch mal einrückte. Halbrechts im Angriff spielte Müller, und in der Sturmspitze hatte Guardiola die nächste Überraschung parat: nicht Pizarro, sondern Arjen Robben spielte im offensiven Zentrum.

Meine Hoffnungen auf einen erneuten Pokalsieg waren begrenzt. Dortmund zählte noch immer zu den besten Mannschaften Europas, und die Bayern waren enorm geschwächt. Dazu diese Unruhen, die sich seit dem Ausscheiden gegen Real Madrid durch das gesamte Umfeld gezogen hatten. Doch die Mannschaft wusste mich wieder einmal zu überraschen. Nicht nur, dass sie ihr Herz und ihre gesamte Leidenschaft auf dem Berliner Rasen ließ – sie spielte auch mit Kopf. Der Schachzug Guardiolas, die Mitte durch die kompakte Ausrichtung zu verteidigen, ging voll auf. Dortmund hatte zwar jederzeit seine Momente, doch die Bayern waren etwas drückender, etwas dominanter und etwas besser. Daran änderte sich nicht mal etwas, als Philipp Lahm den Platz verletzt verlassen musste. Guardiola brachte Ribéry und verschob Götze dafür ins Zentrum.

Das war die große Stunde für Javi Martínez – jenen Spanier, der ansonsten immer etwas unter dem Radar lief. Schon in der Triple-Saison war er einer der wichtigsten Spieler der Mannschaft. Unter Guardiola konnte er das zu Beginn nicht so oft zeigen. Immer wieder hatte er mit Verletzungen zu kämpfen. Ausgerechnet im Finale gegen Dortmund zeigte er dann aber seine beste Leistung auf dem Platz. Als zentraler Innenverteidiger hatte er stets die Freiheit, ins Mittelfeld vorzurücken. Immer wenn die Borussia in den Raum zwischen Verteidigung und Mittelfeld kam, rückte der Spanier heraus, um den Angriff des Gegners entscheidend zu stören. Das gelang ihm mehrfach in gefährlichen Situationen. Damit zerstörte er letztlich das gegnerische Spiel und gab seinem Mittelfeld die so wichtige Sicherheit. Lahm und Schweinsteiger fehlten zwar als Balancegeber, doch Martínez fing das so sehr auf, wie er es nur auffangen konnte. Es war sein Spiel, sein großer Auftritt.

Wobei es seinen Leistungen insgesamt nicht gerecht wird, wenn man ein einziges Spiel heraushebt: Martínez war und ist der beste Assistent, den sich ein kreativer Spieler wünschen kann. Er ist der beste zweite Mittelfeldspieler und der beste zweite Innenverteidiger der Welt. Das war er nicht nur in einigen wenigen Spielen, sondern über Jahre hinweg auf konstant hohem Niveau. Das Finale gegen Borussia Dortmund im Mai 2014 war nur ein weiterer Höhepunkt.

Wie so oft, wenn diese beiden Mannschaften aufeinandertrafen, war auch dieses Duell ein abwechslungsreicher Schlagabtausch. Beide Teams hatten genügend Gelegenheiten, um den Sack zuzumachen. Dortmund wurde sogar ein eigentlich regulärer Treffer aberkannt, hätte aber auch in einigen anderen Situationen gut ein Tor erzielen können. Sie taten es ebenso wenig wie die Bayern, und so kam es zur Verlängerung. Wie gegen Madrid 2010. Wie gegen Chelsea 2012. Wie gegen Chelsea 2013. Nuancen entscheiden diese großen Spiele. Eine Fehlentscheidung, ein Fehlschuss, ein Platzverweis oder auch nur ein einziger Moment der Unaufmerksamkeit.

Das Spiel in dieser Nacht war eine große Willensleistung des FC Bayern. Wie Robben nach über 100 Minuten und einer extrem langen Saison immer noch über das gesamte Feld sprintete. Wie Boateng später als Flügelverteidiger die Linie rauf und runter lief, obwohl er ständig von seinem Gegner hinten gefordert wurde. Wie der unfitte Ribéry mit Schmerzen jeden Prozentpunkt aus seinem Körper holte. Man hätte denken können, dass diese Spieler, die in der vorherigen Saison alles gewonnen hatten, nicht mehr diesen Hunger zeigen könnten. Doch genau das war das Beeindruckende an dieser Mannschaft. Sie hatte einen Erfolgshunger, wie ihn in der Geschichte des FC Bayern höchstens die große Siebzigerjahre-Mannschaft hatte.

Dieser Erfolgshunger markierte den Unterschied. Er sorgte für die entscheidenden Meter, die Robben nach einer Boateng-Flanke den Vorsprung gaben, um das 1:0 erzielen. Auch für die Meter, die sich Müller mit Krämpfen auf seinen Storchenbeinen erlief, obwohl es ein bisschen so aussah wie der Sprint eines Rentners zur freien Kasse im Supermarkt. Für den völlig kaputten Schmelzer reichte es: Müller erzielte das 2:0 und schickte die Guardiola-Bayern in den wohlverdienten Urlaub. Mit dem vierten großen Titel dieser Saison.

Guardiola hatte es geschafft, die Bayern nach ihrem Triple auf einem sehr hohen Niveau zu halten, sie vielleicht sogar noch besser zu machen. Sie wurden nämlich viel variabler. Der große Unterschied zu den Vorjahren war, dass Verletzungen bis zu einer bestimmten Anzahl weggesteckt werden konnten. Guardiola gab der Mannschaft für fast jede Situation eine Lösung an die Hand. Während Heynckes im Vorjahr noch auf die Fitness seiner wichtigsten Spieler angewiesen war, konnte der Katalane mal eben Schweinsteiger, Lahm und zunächst auch Ribéry in einem Pokalfinale gegen Dortmund ersetzen. Weil er jeden Spieler flexibler machte und das Kollektiv mit noch mehr taktischen Mitteln ausstattete.

Vielleicht war das die Erkenntnis, die man aus der ersten Guardiola-Saison ziehen konnte: Manchmal ist eben nicht die Qualität der Einzelspieler entscheidend, sondern die Strategie und die Idee, die sie gemeinsam haben. Und manchmal funktioniert Altbewährtes einfach nicht mehr. Dann muss man sich auf die neuen Gegebenheiten einstellen, sich anpassen und vielleicht auch mal Mut zur Veränderung haben, obwohl vorher alles gut war. »Never change a winning Team« kann eben auch zur Stagnation führen.

Spätestens nach dieser Saison hatte Guardiola die meisten seiner Spieler und einen Großteil der Fans von seinem Weg überzeugt. Die Fehler, die er und sein Team machten, waren dabei nur wichtige Erfahrungen, die womöglich gemacht werden mussten, um den Weg weitergehen zu können. Doch dieser Weg war stets mit der Erwartung von außen verbunden, dass Guardiola aus dem FC Bayern einen weiteren Champions-League-Titel oder sogar ein weiteres Triple herauszaubert. Auch das war eine Erkenntnis der ersten Saison.

Jahr 2: Arbeit am Detail

Pep Guardiola hatte andere Ziele vor Augen. Fortschritt. Weiterentwicklung. Sportlich den nächsten Schritt machen. Der Katalane wird nicht ohne Grund oft als Perfektionist beschrieben. Im Training korrigiert er jedes Detail. Großen Wert legt er zudem auf die Genauigkeit. Nur wenn die Spieler bei jeder Übung alles geben, ist Guardiola bereit, mit ihnen zu arbeiten. Das beginnt schon beim Rondo am Anfang eines jeden Trainings. Egal, ob bei Barcelona, Bayern oder Manchester City – der Katalane sieht das Rondo nicht als billiges Aufwärmspiel, sondern als eine der wichtigsten Grundlagen seiner Philosophie.

Fast jede Kreisliga-Mannschaft kennt das Szenario eines solchen Rondos: Bevor das Training richtig startet, stellen sich je nach Größe der Gruppe mehrere Spieler in einem engen Kreis auf. Meistens müssen dann zwei von ihnen in die Mitte – zu meiner Zeit in der Kreisoberliga waren das oft die beiden Jüngsten. Während die äußeren Spieler versuchen, sich den Ball zuzuspielen, müssen die beiden inneren das Leder erobern. Aus Guardiolas Zeit bei den Bayern existieren Videos, in denen die äußeren Spieler ihre Kontakte laut mitzählten, um zu provozieren.

Das Tempo von Guardiola-Spielern im Rondo ist enorm. Je länger der Katalane eine Mannschaft trainiert, umso beeindruckender werden auch die Rondos vor dem Training. Man könnte den Spieß allerdings auch umdrehen, und sagen, dass es nur deshalb so beeindruckend aussieht, weil das Rondo von den Spielern absolut ernst genommen wird. Kaum eine Übung spiegelt den technischen Fortschritt einer Guardiola-Mannschaft so sehr wie diese. Domènec Torrent, Co-Trainer Guardiolas bei den Bayern, ließ einmal durchblicken, welch hohe Bedeutung diese anscheinend so einfache Übung für das Trainerteam hatte. Dem spanischen Journalisten Isaac Lluch verriet er: »Bei Bayern verstand man die Rondo-Übungen als einen Spaß, aber für Pep haben sie eine grundlegende Bedeutung, und die Spieler sollten sie von Anfang an auch so verstehen.«

Guardiola variierte nicht nur die Arten der Rondos – so gab es das klassische 4-gegen-2 an der Säbener Straße ebenso zu bestaunen wie ein 3-gegen-1 und ein 5-gegen-2, bei dem einer von drei Spielern in der Mitte zu den Außenspielern zählte. Der Trainer veränderte dazu auch regelmäßig die Besetzung der kleinen Gruppen. »Amateure« und »Profis« gab es dabei nicht. Guardiola war um Integration bemüht, aber auch darum, Spielsituationen bereits im Rondo detailgetreu nachzustellen. Denn diese Übung verkörperte für ihn alles: Aufwärmen, spielnahes Lernen, Spaß und eine der Grundtugenden von Guardiola-Mannschaften – sich auf engstem Raum in kurzen Zeitabständen zu beweisen. Teilweise mussten sie sogar in wenigen Sekunden die Spielfeldzone wechseln, in der sie sich befanden. Intensität und Druck waren so von Beginn an auf höchstem Level.

Die Rondos waren gewissermaßen auch ein Sinnbild für den Start des zweiten Guardiola-Jahres, die Saison 2014/15. Korrekturen im Detail, ständiges Unterbrechen der Übungen, die häufige mentale Überforderung der Spieler – im ersten Jahr war nicht jeder damit einverstanden gewesen. Mandžukić hatte auch deshalb den Verein verlassen – vor allem aber musste er gehen, weil mit Robert Lewandowski ein neuer Stürmer-Star an die Säbener Straße wechselte; erneut aus Dortmund. Die persönlichen Konflikte sowie der Anspruch, immer spielen zu wollen, führten zum unrühmlichen Abschied des

Kroaten. Mit Medhi Benatia, Juan Bernat und Pepe Reina kamen weitere Spieler, die die Qualität der Münchner stark anheben sollten. Schon seit 2012 arbeiteten die Bayern daran, den Kader in der Breite besser zu machen. Dafür kam zur neuen Saison Michael Reschke für den Scouting-Bereich. Vorher sorgte er in Leverkusen dafür, dass Bayer 04 Spieler wie Vidal oder Julian Brandt frühzeitig entdeckte. Reschke hatte große Anteile daran, dass die Werkself konstant im oberen Drittel der Tabelle zu finden war. In München war er direkt am Bernat-Deal und auch am Transfer von Sinan Kurt beteiligt. Beide kosteten den FC Bayern, gemessen am zur Verfügung stehenden Budget, nicht viel. Beide zeigten zudem, wohin die Richtung in Zukunft gehen sollte. Denn Schweinsteiger und Lahm kamen langsam in ein Alter, in dem nicht mehr garantiert war, dass sie noch lange auf Top-Niveau spielen können. Zudem hatte Holger Badstuber ständig mit Verletzungen zu kämpfen. Die Münchner mussten sich zum einen Gedanken machen, wie sie diese Lücken sportlich schließen konnten, zum anderen bedeutete das aber auch, dass wichtige Identifikationsfiguren möglicherweise zeitnah wegbrechen konnten. Die Generation Lahmsteiger befand sich bereits auf den letzten Metern, und in der eigenen Jugend gab es schon länger keinen Spieler mehr, der in die Fußstapfen dieser prägenden Figuren hätte treten können. Kraft, Højbjerg und später auch Gaudino: Sie alle hatten letztlich nicht die nötige Qualität, um es dauerhaft beim FC Bayern zu packen.

Gerade deshalb trafen die Münchner nun zwei Maßnahmen, die für die eigene Zukunft Priorität hatten. Zunächst die angesprochenen Transfers junger Spieler, deren finanzielles Risiko sich in Grenzen hält, die aber bei guter Entwicklung eine enorme Bereicherung für den Klub werden könnten. Bernat und Kurt waren hier nur der Anfang. Michael Reschke konnte die Scoutingabteilung mit seinem hervorragenden Netzwerk extrem bereichern. Außerdem war längst der Bau eines Campus im Münchner Norden geplant. Die ersten Gerüchte darüber gab es bereits im Jahr 2013. Ein 2006 vom Rekordmeister gekauftes Gelände, das eigentlich für den Breitensport gedacht war, bot die Grundlage für eine riesige Investition. Über die Kosten wurde viel spekuliert. Rund 70 Millionen Euro soll der Neubau gekostet haben, möglicherweise noch mehr. Im August 2017 wurde etwa drei Kilometer westlich der Allianz Arena der neue »FC Bayern Campus« fertiggestellt: ein 30 Hektar großes Gelände mit acht Fußballfeldern und der »Allianz FC Bayern Akademie« – dem Herzstück des neuen Nachwuchsleistungszentrums.

Für Guardiolas Arbeit hatte das noch keinen sonderlich hohen Stellenwert – er hatte damals andere Sorgen. Ein Großteil seiner Spieler hatte sich gerade zum Weltmeister gekürt. Schweinsteiger und Lahm setzten damit nach dem Triple-Triumph von 2013 ihren Karrieren eine weitere Krone auf. Für den FC Bayern bedeutete die erfolgreiche Weltmeisterschaft 2014 in Brasilien aber, dass viele Spieler einen großen Teil der Vorbereitung verpassten. Für den Trainer war das kein optimales Szenario. Nachdem er im ersten Jahr die Grundlagen seiner Philosophie vermitteln konnte, diente das zweite Jahr mehr oder weniger der Arbeit am Detail. Jene Nuancen also, die beispielsweise den Unterschied im Halbfinale gegen Real Madrid ausgemacht hatten, wurden aufgearbeitet und analysiert. Guardiolas Trainerteam hatte viele Ideen im Kopf, um die richtigen Anpassungen vorzunehmen. Eine davon wurde allerdings eher kurzfristig und etwas zufällig wirksam ...

Noch während der Vorbereitung gab es Differenzen zwischen Guardiola und den Vereinsbossen. Es ging um Toni Kroos. Für die zukünftigen Pläne des Trainers war er einer der wichtigsten Spieler. Toni Kroos forderte aber auch ein Gehalt, das ihn im damaligen Gehaltsgefüge zu den Bestverdienern befördert hätte. Rummenigge und Hoeneß entschieden sich dagegen, Kroos eine Summe im zweistelligen Millionenbereich zu zahlen. Die Konsequenz: der frischgebackene Weltmeister wechselte zu Real Madrid. Der *Spiegel* und *Football Leaks* enthüllten später, dass er dort rund 11,3 Millionen Euro im ersten Jahr bekam. Mit den dazugehörigen Prämien entstand in der Summe ein Vertrag, den sich die Bayern damals nicht leisten wollten. Aus Guardiolas Perspektive ging damit ein Stratege, ein Genie mit dem Ball am Fuß und ein Spieler, der das ganze Team besser machen konnte. Die Perspektive der Bosse und nicht weniger Bayern-Fans war eine andere: »Querpass-Toni« wurde der Nationalspieler in München häufig genannt. Aber damit verkannte man, welch hohe Bedeutung seine vielen messerscharfen Zuspiele hatten. Für Guardiola wäre Kroos das wichtigste Puzzleteil im Mittelfeld gewesen, ein entscheidender Baustein für den Erfolg. Der Verkauf war für ihn ein Tiefschlag. Ihm fehlte fortan ein Stratege auf der Sechs. Denn Lahm sollte eigentlich eine neue Rolle erhalten.

Mit dem offenen Transferfenster ergab sich aber noch eine Möglichkeit, die für mehr Gelassenheit sorgte. Nachdem sich Martínez schwer verletzt hatte, sah der FC Bayern Handlungsbedarf im Mittelfeld. Ausgerechnet bei Real Madrid, wo Kroos gerade seine ersten Schritte ging, wurde man fündig. Xabi Alonso – eine absolute Legende beim FC Liverpool und in Madrid – kam nach München. Guardiola atmete auf. Alonso war nicht die zukunftssichere Variante, die er sich von Kroos versprach. Aber er verkörperte alles, was Guardiola auf dieser Position verlangte. Schon bei seinem ersten Einsatz gegen Schalke 04 wusste Alonso ganz Deutschland zu beeindrucken. Er war sofort der Mittelpunkt des bayerischen Spiels: Alonso koordinierte, steuerte und verteilte die Bälle. Jeder Pass ein Unikat, jeder Seitenwechsel genauer als der Schuss eines Scharfschützen. Hätte man Alonso einen Bierdeckel auf die andere Seite des Platzes gelegt, er hätte ihn vermutlich jedes Mal getroffen. Der

Weltmeister und Champions-League-Sieger brachte nicht nur Ruhe und Sicherheit ins Spiel, sondern er war ein Spieler, der die Sechser-Position im System alleine spielen konnte.

Für Pep Guardiola ergaben sich damit Möglichkeiten, die er selbst im Lauf der Saison erst noch testen musste. Oft spielte die Dreierkette eine übergeordnete Rolle. Durch den Transfer von Bernat war es dem Trainer nämlich möglich, Alaba auf die Halbverteidiger-Position zu stellen, ohne die Stabilität auf dem Flügel zu verlieren. Das sollte der Endverteidigung mehr Geschwindigkeit und dem Aufbauspiel mehr Dynamik geben. Guardiola arbeitete zunehmend mit Asymmetrien und war auf der Suche nach neuen Methoden, um seinen Flügelspielern mehr Freiheiten zu bieten.

Auch Lewandowski war dafür ein wichtiger Transfer. Der Pole passte mit seinen vielfältigen Bewegungsmöglichkeiten besser zum Positionsspiel des Trainers. Stellenweise spielte er wie eine »Falsche 9«.

In Deutschland wird dieser Begriff noch heute häufig als Synonym für kleine und wendige Stürmer verwendet. Tatsächlich bezeichnet der Terminus »Falsche 9« aber lediglich die Rolle eines Stürmers, der sich regelmäßig fallen lässt, um Räume zu öffnen oder sich an der Ballzirkulation im Mittelfeld zu beteiligen. Der Körperbau spielt dabei keine Rolle.

Lewandowski war von Beginn an die überragende Mischung aus »Falscher 9« und Zielspieler. Mit ihm konnten die Bayern auf drei Wegen zum Torerfolg kommen. Erstens mit Hilfe seiner technischen Fähigkeiten im Kombinationsspiel – Lewandowski half enorm dabei, Dreiecke zu bilden und vertikale Zuspiele in die gefährlichen Zonen im Zentrum zu ermöglichen. Gerade mit dem Rücken zum Tor war der Angreifer damals der beste Spieler der Welt. Zweitens durch Flanken, die der Pole mit seiner Physis verwerten konnte. Und drittens durch lange Bälle. Guardiola implementierte nämlich in der Saison 2014/15 ein taktisches Mittel, das es so unter ihm vorher nicht gab. Lange Schläge wirken eher atypisch für den Katalanen. Doch mit Boateng hatte der Trainer einen perfekten Spielertypen dafür gefunden: Immer wieder arbeitete sein Trainerteam mit dem Innenverteidiger an dessen Passtechnik. In nur wenigen Monaten reifte Boateng zur Weltklasse heran. Mit dem Ball am Fuß war er auf seiner Position sogar konkurrenzlos. Boateng selbst bezeichnete sich irgendwann als eine Art Quarterback. Immer wieder spielte er präzise Bälle über das gesamte Spielfeld auf Müller oder Lewandowski, die gerade bei hohem Pressing des Gegners für schnellen Raumgewinn sorgten. Damit wurde das Aufbauspiel der Bayern immer unberechenbarer.

Alonsos Diagonalbälle nutzte Guardiola hingegen für ein Schema, das für seine gesamte restliche Zeit prägend wurde: Auf einer Seite suchten die Bayern immer enge Situationen, überluden dort die Halbräume und versuchten, den Gegner dazu zu zwingen, sich auf diese Seite zu fokussieren. Dann kam der Diagonalball (vorzugsweise von Alonso, Thiago oder Boateng) auf die andere Seite, wo ein Flügelspieler mit viel Raum angreifen konnte. Gerade in der Bundesliga waren die Mannschaften mit diesen Varianten überfordert. Frühes Pressing schien wirkungslos zu sein, aber tiefe Verteidigungen wussten die Bayern mit ihrem variablen Spiel auch zu knacken. Selbst in der Champions League lief es für die Münchner wieder herausragend. Kaum jemand war dazu in der Lage, den Rekordmeister zu stoppen, wenn alle Spieler fit waren. Der Druck, den die Bayern ausübten, war für die meisten Mannschaften viel zu groß.
Nur war der Kader in der entscheidenden Phase nie richtig fit. Woche für Woche musste Guardiola improvisieren und anpassen. Dadurch fehlten neben einigen Schlüsselspielern auch der Rhythmus. Wie gut die Bayern wirklich waren, zeigten sie in einem Spiel der Königsklasse ganz besonders. Noch in der Gruppenphase der Champions League trafen sie auf den AS Rom. Die Italiener liefen

ihren alten Erfolgen zwar deutlich hinterher, aber dass sie nicht zu unterschätzen waren, hatten sie nicht zuletzt mit der Vizemeisterschaft am Ende der Saison bewiesen. Doch in Rom brannten die Bayern mit ihrer neuen Ausrichtung ein wahres Feuerwerk ab. Boateng, Benatia und Alaba bildeten die Dreierkette, Bernat und Robben – ja, richtig gelesen: Robben! – spielten auf den Flügelverteidiger-Positionen. Auf der Sechs setzte Guardiola diesmal auf zwei Spieler. Das lag daran, dass Lahm auf der halbrechten Seite immer wieder den vorstoßenden Robben absichern sollte, wenn er nicht zentral gebraucht wurde. Vorne agierten Lewandowski, Götze und Müller. Unglaublich, wie gut diese Mannschaft aufeinander abgestimmt war: Lahm sicherte perfekt die Räume hinter Robben ab, Alonso verteilte die Bälle, Götze hatte eine ziemlich freie Rolle und konnte so immer wieder in die Zentrale rücken, wenn Bernat nachschob. Viele hofften damals, dass das sein Durchbruch sein könnte. Hinten war die Absicherung zudem mehr als ausreichend. Auch Alabas Dribblings und Vorstöße brachten die Ordnung der Römer durcheinander. Die Bayern deklassierten ihren Gegner mit schnellen Kombinationen, nahezu unpressbarem Aufbauspiel und viel Tempo. Niemand konnte vorher erahnen, in welcher Formation sie spielen. Das war einer der größten Vorteile dieser Spielzeit. Guardiola hatte immer neue taktische Mittel, die die Mannschaft auf den Gegner einstellten. Das gesamte Spiel gegen die Römer war ein großes Kunstwerk. *So* muss Fußball aussehen.

Einige Monate später war von diesem Glanz aber plötzlich nichts mehr zu sehen. Ohne Robben, Alaba, Martínez und Benatia, die alle langfristig verletzt waren, ging es nach Porto; auch auf Schweinsteiger und Ribéry musste Guardiola verzichten – Spieler, die alleine schon eine halbe Stammelf eines Champions-League-Siegers bilden könnten. Der Trainer versuchte diesem Dilemma mit einem spielstarken Zentrum entgegenzuwirken. Er wusste um das starke Pressing der Portugiesen. Neben der dünnen Personaldecke kamen aber weitere Probleme zum Vorschein. Ohne wenigstens einen Spieler, der auf der Außenbahn Eins-gegen-Eins-Duelle für sich entscheiden konnte, war die Bayern-Offensive nur noch halb so gefährlich. Im Zentrum wurde es zu eng. Porto konnte die Angriffe der Bayern ziemlich leicht verteidigen und sich dann selbst den Raum auf den Außenbahnen zu Nutze machen. Außerdem fiel auf, dass einige Spieler ein klares Tempodefizit hatten. Das galt bei Alonso vor allem für die Beine. Im Spielaufbau wurde der Spanier mit besonders hoher Intensität angelaufen und so zu Fehlern gezwungen. Dante wiederum hatte sowohl mit dem Tempo in den Beinen als auch mit der Geschwindigkeit im Kopf zu kämpfen. Während des Angriffspressings der Portugiesen war der Innenverteidiger komplett überfordert. Der FC Porto überrannte die Münchner somit in der Anfangsphase des Spiels und brachte einen 3:1-Sieg relativ ungefährdet über die Zeit. Für Guardiola blieben wichtige Erkenntnisse für die Zukunft. Daran änderte auch der deutliche 6:1-Erfolg im Rückspiel nichts.

Denn auch im zweiten Champions-League-Halbfinale, das Guardiola mit den Bayern erreichte, sollten viele Probleme wiederkehren. Ausgerechnet seinem Ex-Klub, dem FC Barcelona, konnten die Bayern trotz maximaler Bemühungen nicht genug entgegensetzen, um das Finale zu erreichen.

Dabei war Guardiolas Ansatz zunächst sehr spannend. Mit einem taktischen Kniff versuchte er, Barcelonas 4-3-3 teilweise zu spiegeln. Hinten spielte Rafinha die linke Halbverteidiger-Position neben Boateng und Benatia. Linker Flügelverteidiger war Bernat, rechts hatte sich der Trainer eine spezielle Rolle für Thiago ausgedacht. In Ballbesitz rückte der Spanier ins Zentrum, um dort für Überzahl gegen Barcelonas Mittelfeld zu sorgen. Gegen den Ball musste er allerdings als Flügelverteidiger aushelfen, um die Breite ausreichend zu verteidigen. Im Zentrum spielten Lahm und Alonso hinter einem höher positionierten Schweinsteiger, der in der Anfangsphase manchmal sogar auf die linke Außenbahn schob. Müller und Lewandowski komplettierten eine Offensive ohne Robben und Ribéry. Die Bayern gingen förmlich auf dem Zahnfleisch …

Auch Martínez und Alaba wurden schmerzlich vermisst. Außerdem hatten Schweinsteiger, Thiago, Alonso und selbst Lahm immer wieder mit Verletzungen zu kämpfen – im Lauf des Spiels war ihnen anzumerken, dass Fitness fehlte. Nicht zuletzt sollte sich aber auch Guardiolas strategischer Ansatz als falscher Zugang zu Barcelonas Offensive entpuppen – zumindest in der Verfassung, in der sich seine Mannschaft befand. In den ersten 15 Minuten überrannte Barça die Münchner. Rafinha und Bernat waren von Beginn an mit Messi überfordert, dem Mittelfeld fehlte es an Spritzigkeit im Duell mit Iniesta und Rakitiç. Zudem nutzte Neymar die hinter Thiago und Lahm entstandenen Lücken.

Der Kapitän harmonierte mit dem Spanier nicht so gut wie noch mit Robben in Rom. Schon früh hätte es 1:0 für Barcelona stehen müssen. Nach der chaotischen Anfangsphase stellte Guardiola relativ schnell um. Rafinha ging auf die rechte Seite, Bernat komplettierte die neue Viererkette. Thiago rückte auf die halblinke Seite im Mittelfeld, um seinen Mitspielern gegen Messi zu helfen. Durch die Raute im Zentrum – also ein Sechser, zwei Achter in den Halbräumen und einem Zehner – bekamen die Münchner Barcelona zunehmend auf die Außen gedrängt. Ähnlich wie 2013 zogen sie damit Barça ein bisschen den Zahn und bekamen sogar Chancen. Das brachte bis zur Schlussphase Stabilität in einem ausgeglichenen Spiel.

Rollenerklärung: Der Unterschied zwischen Flügel- und Außenverteidigern wird oftmals nicht wahrgenommen. **Außenverteidiger** *bilden die äußeren Verteidiger einer Viererkette. Als* **Flügelverteidiger** *werden hingegen Spieler bezeichnet, die höher auf der*

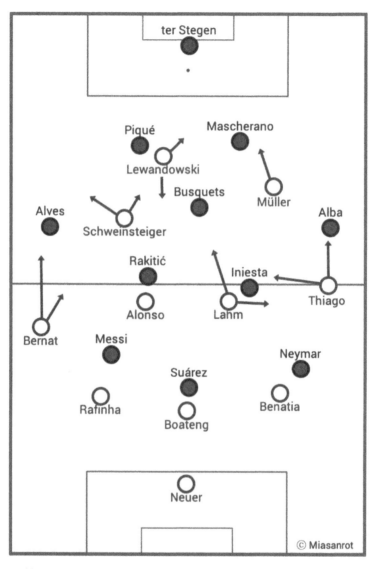

Abb. 8 *Guardiolas erster Ansatz in Barcelona 2015: Teilweise positionierten sich Schweinsteiger, Thiago und Bernat so, dass die Bayern fast Zehn gegen Zehn in der Manndeckung spielten. Wie ein Spiegel für Barça.*

Außenbahn positioniert und so schon Teil des Mittelfelds sind. Sie haben die Außenbahn für sich alleine oder sorgen dafür, dass die Flügelstürmer einrücken. Meist sind sie Teil eines Systems mit Dreierkette. Gegen den Ball kann das Team dann auf eine Fünferkette umstellen, offensiv rücken die Flügelverteidiger weit nach vorn. Die äußeren Innenverteidiger einer Dreierkette wiederum werden **Halbverteidiger** *genannt, weil sie den Halbraum verteidigen und manchmal auch in der Offensive Freiheiten bekommen.*

Dann aber zeigte dieser kleine Argentinier mit der Nummer 10 im Trikot des FC Barcelona, warum er schon mehrfach in seiner Karriere zum besten Fußballer der Welt gekürt wurde.

Ein Laufweg. Eine Unaufmerksamkeit.

Auf einmal steht Messi keine 20 Meter vor Neuers Tor frei.

Lahm, Bernat und Benatia bekommen keinen Zugriff mehr.

Messi legt sich den Ball auf seinen starken linken Fuß, dann streichelt er ihn so liebevoll, dass ihm keine andere Möglichkeit bleibt als genau das zu tun, was Messi von ihm will. Im Bruchteil einer Sekunde schlägt der Ball im unteren rechten Eck ein.

Neuer war chancenlos. Pure Ekstase im Camp Nou. Jeder, der dieses Stadion schon mal von innen gesehen hat, wenn kein Spiel stattfand, dürfte vor Ehrfurcht erstarrt sein. Wer jedoch zu Besuch war, wenn Messi eine seiner Shows abzog, der fühlte sich dazu gezwungen, sich zu verneigen. Mir erging es selbst vor dem Fernseher schon so. Als der »Floh«, wie Messi auch genannt wird, das 1:0 machte, versank ich im Sessel. 77 Minuten lang hatte ich mich ständig bewegt. Ich war aufgesprungen, hatte mir die Hände vors Gesicht geschlagen, nervös mit den Beinen gewackelt, von hinten nach vorn und wieder zurück geschaukelt. Ich fand keine Ruhe. Bei jedem Ballverlust gab es einen unfassbaren Lärm im Stadion. Jede Aktion verschärfte meinen Puls. In den wenigen Ruhephasen des Spiels spürte ich mein Herz laut schlagen. Dann: Messis Tor. Puls runter, Leere. Es hatte sich angedeutet. Bayerns Kader war einfach nicht fit genug. Trotzdem hatte ich die Hoffnung gehabt, dass sie das 0:0 irgendwie über die Zeit bringen. In den folgenden rund 15 Minuten sollte ich in meiner Position verweilen. Aufregung, Nervosität und Puls wurden im Keim erstickt. Ich erstarrte.

Drei Minuten später. Bernat verlässt ohne Grund seine Position, Messi erahnt die Situation und bewegt sich in seinen Rücken. Barça überspielt die erste Pressinglinie der Bayern und serviert den Ball genau zwischen den aufgerückten Bernat und Boateng. Messi hat quasi freie Bahn. Nur Boateng kann ihn jetzt noch stoppen. Der Innenverteidiger will das Zentrum dicht machen, um den Angreifer abzudrängen. Messi deutet den Weg nach innen an, macht dann aber etwas mit seinem linken Zauberfuß, das jedem normalen Menschen mindestens das Gelenk verdreht hätte. Schneller als ein Wimpernschlag dreht der Ball die Richtung. Boatengs Beine verknoten sich mehrfach, und der Riese fällt wie eine Bahnschranke. Messi spaziert rechts an ihm vorbei, sieht Neuer auf sich zukommen. Dann setzt er seinen anderen Zauberfuß ein – den vermeintlich schwächeren Rechten. Er lässt ihn kurz zucken und chippt die Kugel über Neuer ins Tor.

Ekstase im Stadion, Regungslosigkeit in meinem Sessel. Dass Neymar in der vierten Minute der Nachspielzeit noch einen draufsetzte, war so bitter wie unnötig. Den Bayern wurden in nur 15 Minuten erhebliche Mängel aufgezeigt.

Dabei hatte sich Guardiolas Mannschaft taktisch im Vergleich zum Vorjahr eindeutig weiterentwickelt. Selbst ohne mehrere Schlüsselspieler war der FC Bayern in der Lage, starke Katalanen an ihre

Grenze zu bringen. Mit etwas Spielglück und mehr Cleverness in der Schlussphase wäre mehr möglich gewesen.

Noch heute wird das Duell rückblickend als viel zu einseitig beschrieben. Der Unterschied an jenem Abend lässt sich auf Lionel Messi reduzieren. Er brachte seine Mannschaft auf Kurs, das Stadionpublikum auf Touren und machte die Bayern entsprechend nervös. Auf der Bayernseite gab es niemanden, der in der Lage gewesen wäre, in den Kontersituationen spielentscheidend zu agieren. Mit Verletzungspech hatte das nur zum Teil zu tun: Der Klub musste sich vorwerfen lassen, dass die Altersstruktur nicht mehr den hoch gesteckten Zielen entsprach: Schweinsteiger, Alonso, Lahm, Robben, Ribéry waren in ein Alter gekommen, in dem sie keine komplette Saison mehr ihre maximale Leistung bringen konnten. Adäquaten Ersatz für diese Schlüsselspieler gab es nicht.

Aber auch Guardiola musste sich fragen lassen, ob im täglichen Training alles richtig lief. Nicht wenige Journalisten berichteten von der fehlenden Geduld des Katalanen: Spieler seien zu früh wieder ins Training eingestiegen und die Regeneration zu kurz gewesen.

Mit 79 Punkten wurden die Bayern trotzdem wieder Meister. Auf nationaler Ebene waren sie stets in der Lage, auch komplizierte Personalsituationen mit ihrer taktischen Flexibilität zu lösen. Im Rückspiel in Dortmund setzte Guardiola sogar auf eine sehr defensive Ausrichtung. Drei echte Innenverteidiger, zwei gelernte Außenverteidiger auf den Flügeln, drei robuste Mittelfeldspieler sowie in Müller und Lewandowski lediglich zwei echte Angreifer. Bayern konterte den BVB aus und holte wichtige Punkte im Meisterschaftsrennen. Für Dortmund und viele Beobachter war dieser Schritt überraschend. Er zeigte aber nur einmal mehr, wie flexibel Bayern unter Guardiola geworden war.

Es war also sicher nicht alles schlecht an der Saison 2014/15. Tatsächlich war es sogar beeindruckend, wie das Team und der Trainer mit der Unruhe, der harten Kritik und den vielen Verletzungen umgingen: ein neuerlicher Beweis dafür, dass die Chemie zwischen Mannschaft und Trainer größtenteils passte.

Eine bittere Pille für den Rekordmeister war aber auch der Ausrutscher im Pokal-Halbfinale. Lange Zeit waren die Bayern besser als Dortmund. Statt der 1:0-Führung hätte längst ein 2:0 oder 3:0 angezeigt werden müssen. Zudem wurde ein klarer Elfmeter nicht gegeben. Für mich gab es kein Szenario, in dem der BVB noch einmal zurück ins Spiel kommen konnte. Aber in der Schlussphase drückten sie dann doch noch einmal und erzielten prompt den Ausgleich. Es kam sogar zum Elfmeterschießen. Lahm übernahm den ersten Schuss. Er rutschte aus. Dortmund traf, und dann war Alonso dran. Auch er rutschte aus und konnte nicht verwandeln. Es waren exakt die gleichen Bewegungen wie bei Lahm. Nachdem auch noch Götze und Neuer verschossen, ging der BVB als Sieger vom Platz. Die ganze Welt lachte über diese Ausrutscher. Doch mit einigem Abstand stellt sich die Frage, ob das wirklich nur Pech war oder doch vor allem ein Anzeichen für das nahende Ende einer großartigen Spielergeneration. Schweinsteiger und Alonso funktionierten nicht gemeinsam. Robben und Ribéry waren immer öfter verletzt. Selbst Lahm verletzte sich erstmals seit langer Zeit wieder schwer. Der Sommer 2015 war richtungsweisend. Unpopuläre Entscheidungen standen bevor. Guardiolas große Herausforderung, die goldene Ära des FC Bayern zu verlängern, war zwar noch längst nicht gescheitert, aber die Kritik an ihm wurde lauter. Hinzu kam sein Streit mit den Ärzten über eine möglichst frühe Rückkehr verletzter Spieler, einige Fehlentscheidungen in der strategischen Ausrichtung (die er immerhin oft genug korrigieren konnte) und die zunehmende Genervtheit von den immerselben Fragen der Journalisten. Ein Titel genügte den Münchner Ansprüchen offenbar längst nicht mehr. War die Messlatte, die Heynckes mit dem Triple 2013 legte, zu hoch für den vermeintlich besten Trainer der Welt?

Die Vollendung?

Jedenfalls war der Druck auch bei Pep Guardiola deutlich zu spüren. Vor der Saison 2015/16 musste er schwere Entscheidungen treffen, die ihn in jedem Fall zusätzlich unter Druck setzen würden. Eine davon galt Bastian Schweinsteiger. Der Champions-League-Sieger, Weltmeister und Publikums-Liebling schien in den Plänen seines Trainers keine Rolle mehr zu spielen. Für viele Fans war das schwer nachvollziehbar, auch wenn es den Anschein machte, dass Schweinsteigers Körper den höchsten Anforderungen nicht mehr genügen würde. Die fehlende Harmonie mit Xabi Alonso trug ebenfalls dazu bei, dass es kaum eine andere Alternative gab. Alonso war bedeutend souveräner und konnte die Sechser-Position auch alleine bekleiden. Für den Spanier musste Guardiola weniger Kompromisse gehen. Und so kam es Anfang Juli tatsächlich dazu, dass die größte Identifikationsfigur den FC Bayern verließ. Für viele Fans war das ein Schlag ins Gesicht, weil es so wirkte, als würde man einen Fußballgott vom Hof jagen.

Schweinsteiger war nicht nur wegen seiner Erfolge und seiner besonderen sportlichen Geschichte der beliebteste Spieler der Stadt. Er ist bis heute tief verwurzelt mit seiner Heimat. In München lief er fast täglich durch das Glockenbachviertel, und die Menschen grüßten ihn gern. Weil er einer von ihnen war. Diese Nähe war es, die ihn so beliebt machte. 2012 inspizierte Schweinsteiger Stunden vor dem Champions-League-Finale den Rasen der Allianz Arena. In der Südkurve bereiteten Fans gerade die Choreografie vor. Bastian Schweinsteiger plauderte kurz mit ihnen und verschwand dann wieder im Innenraum. Das war typisch für ihn: Wann immer der FC Bayern einen Titel zu feiern hatte, suchte Schweinsteiger den Kontakt zur Kurve. Zu jenen Fans, die immer hinter ihm standen. Er war einer von ihnen, sie waren Teil von ihm. Umso heftiger war die Trauer in München, dass Schweinsteiger vermutlich nie wieder für den FC Bayern in einem Pflichtspiel auflaufen würde. Guardiola traf diese Entscheidung aus sportlichen Gründen, der Klub unterstützte ihn dabei. Für Guardiola war das unabdingbar. Er spürte, dass die Kritik an ihm größer wurde, und vielleicht spürte er auch, dass es sein letztes Jahr sein würde. Umso weniger Kompromisse wollte er eingehen in dem Bestreben, seine Zeit in München zu vollenden.

Doch was bedeutet »Vollendung« überhaupt für einen Menschen wie Guardiola?

Natürlich ist dieser Begriff auch für den Katalanen mit Erfolgen verbunden: Doch Titel sind für ihn nur das Resultat eines Wegs. Dieser Weg war es, der nun vollendet werden sollte. Ein Weg, der die Mannschaft, die 2013 auf dem Triple-Thron saß, nochmal verbessern sollte. Der sie flexibler, schneller und effizienter denn je Fußball spielen lassen sollte.

Dafür bekam Guardiola auch die Unterstützung der Vereinsführung. Mit Douglas Costa und Kingsley Coman kamen zwei Spieler für die offensive Außenbahn. Für den Brasilianer legten die Münchner rund 30 Millionen Euro auf den Tisch, um ihn von Shakhtar Donetsk loszueisen. Coman kam zunächst auf Leihbasis von Juventus Turin. Der Franzose debütierte früh in seiner Karriere für Paris Saint-Germain. Nach seinem Wechsel zu Juve kam er sporadisch zum Einsatz und wusste hin und wieder sein Talent aufblitzen zu lassen. Schweinsteigers Wechsel, zwei Ersatzspieler für Robben und Ribéry – die Hinweise darauf, dass sich eine große Ära ihrem Ende zuneigte, verdichteten sich.

Schweinsteiger, der in Guardiolas System meist als Balancegeber im Mittelfeld agiert hatte, sollte durch einen noch vertikaler ausgerichteten Spieler mit ähnlichen Fähigkeiten ersetzt werden: Im Sommer 2015 kam Arturo Vidal für fast 40 Millionen Euro an die Isar. Der Chilene hatte sich auf dem Platz den Beinamen »Krieger« erworben. Mit seiner Wucht und Torgefährlichkeit verkörperte er einen sehr speziellen Spielertypus, der eigentlich nicht zu Guardiolas Philosophie passte. Gerade im technisch-strategischen Bereich war Vidal nämlich eher »vogelwild unterwegs« als klug und diszipliniert. Seine Trainer mussten jeweils viel Arbeit leisten, um ihn optimal zu integrieren. Heynckes (sein Trainer in Leverkusen), Conte und Allegri (jeweils bei Juventus) verstanden es sehr gut, Vidals große Qualitäten einzubinden. Aber das waren alles Mannschaften, die eher weniger Wert auf ein dominantes Ballbesitzspiel legten. Lieber ließen sie den Gegner etwas kommen, um mit viel Physis im Mittelfeld den Ball zu gewinnen und dann schnell umzuschalten.

Das war genau Vidals Spiel. Einerseits entwickelte er für seine Mannschaften eine unvergleichliche Dynamik, andererseits sorgte er mit riskanten Tacklings und unorthodoxen Vorstößen für Ballgewinne. Sein Timing war meistens herausragend. Darüber hinaus brachte Vidal eine Fähigkeit mit, die auch Schweinsteiger auszeichnete. Er verstand es sehr gut, aus der Tiefe Läufe nach vorn zu machen, um dort den Strafraum zu überladen. Entweder schuf er damit Raum für andere Spieler, oder er überraschte den Gegner und stand plötzlich frei in guter Abschlussposition. Blieb also die Frage des Sommers, wie Guardiola mit diesem Spieler klarkommen würde und ob er in der Lage sein würde, Vidal in die eigene Ballzirkulation einzubinden.

Das waren aber nicht die einzigen Transfers. Auch Joshua Kimmich kam für rund 8 Millionen Euro nach München. Was im Transferwahnsinn der Moderne nach »wenig« klingt, war für einen so jungen Spieler eine ordentliche Stange Geld. Der Mittelfeld-Spieler wurde in Stuttgart ausgebildet, aber dann nach Leipzig verliehen. Bevor er das Trikot des VfB wieder tragen konnte, machten die Bayern den Deal klar. Kimmich und Coman waren typische Reschke-Transfers: junge Spieler mit viel Potenzial und geringem finanziellen Risiko. Das konnte durchaus schiefgehen, wie die Karriere Sinan Kurts zeigte, dem es weder bei den Bayern noch danach bei Hertha BSC gelang, sich in der ersten Mannschaft durchzusetzen. Es konnte aber auch voll aufgehen, wie Kimmichs weiterer Karriereverlauf eindrucksvoll bewies. Denn was damals noch kaum jemand ahnte: Mit Kimmich holte der FC Bayern einen Spieler, der nun mindestens mittelfristig Philipp Lahm beerben konnte. Auch wenn das nicht der direkte Plan der Münchner war, so hatten sie in nur einem Jahr für vorübergehenden Ersatz der vier prägendsten Figuren der letzten Spielzeiten gesorgt.

Pep Guardiola konzentrierte sich vor allem auf die kurzfristigen Ziele. Aber auch da hatten die jungen Neuzugänge ihren Platz: Coman und Costa spielten regelmäßig, sollten Robben und Ribéry Pausen geben und da sein, wenn sich die beiden Stars erneut verletzten.

Und genau so geschah es dann auch. Robben fehlte seiner Mannschaft allein in der Hinrunde 74 Tage, Ribéry fiel noch bis Ende November aus, weil er sich im März der Vorsaison schwer am Sprunggelenk verletzt hatte. So kam es schon am ersten Spieltag der neuen Saison zum Einsatz Douglas Costas. Der Brasilianer legte direkt einen Traumstart hin und verzauberte die Fans mit einer Leichtigkeit, die sie im vorangegangenen Saisonfinale schmerzlich vermisst hatten. Höhepunkt der Show war eine mit dem Außenrist in den Strafraum gestreichelte Flanke, die Thomas Müller in der 69. Spielminute verwertete. Costa selbst legte kurz vor dem Schluss noch einen Treffer nach, der FC Bayern gewann mit 5:0 gegen den HSV. Die Art und Weise wie das Team an diesem Abend spielte, war ein erster Fingerzeig darauf, was sich durch die Verpflichtung der beiden Flügelspieler verändert hatte.

Coman und Costa konnten als 1:1-Ersatz genutzt werden – nicht von der Qualität her, aber in ihrer Rolle: Dann spielten Coman links und Costa rechts als inverse Außenstürmer. Sie konnten aber auch auf der jeweils anderen Seite eingesetzt werden. Dann änderte sich der Fokus der Offensive, weil nun vermehrt mit Flanken und Hereingaben gearbeitet wurde. Lewandowski und Müller waren in diesem Fall klare Zielspieler, während sie sonst für die richtigen Laufwege zuständig waren, wenn die Flügelspieler nach innen zogen. Es gab aber auch eine dritte Variante, in der einer der Spieler als inverser Außenstürmer agierte und der andere nicht.

*Inverse Ausrichtung: Ein Spieler wird dann als **inverser Flügelspieler** bezeichnet, wenn er auf der eigentlich falschen Seite spielt. Obwohl Arjen Robben Linksfuß ist, spielte er auf der rechten Seite, um mit seinem Trademark-Move nach innen zu ziehen und abzuschließen. Viele andere linksfüßige Flügelspieler agieren hingegen auf der linken Seite, um den Ball in die Mitte flanken zu können.*

Die beiden Transfers machten die Bayern somit noch flexibler. Gegner konnten sich nur dann auf die Ausrichtung des Rekordmeisters einstellen, wenn Verletzungen die Optionen ausdünnten. Und selbst dann war die Guardiola-Elf kaum vom Toreschießen abzuhalten. Das lag vor allem daran, dass Guardiola endgültig einen Weg fand, seine Außenspieler in isolierte Situationen zu bringen. Im Aufbauspiel rückte seine Mannschaft weit auf eine Seite, überlud somit den Halbraum. Anschließend kam eine schnelle Seitenverlagerung, die im Idealfall die andere Seite öffnete. Das war kein gänzlich neues Prinzip, aber im letzten Jahr perfektionierte die Mannschaft dieses taktische Mittel. Ein Paradebeispiel dafür war das Heimspiel gegen Bayer 04 Leverkusen am dritten Spieltag. Nach einem messerscharfen Diagonalball Xabi Alonsos, der in der Innenverteidigung aushelfen musste, hatte Costa ein Eins-gegen-eins-Duell mit Hilbert vor sich. Der Brasilianer hängte seinen Gegenspieler ab und spielte den Ball in die Mitte, wo Müller mit der ersten richtigen Chance zur Führung traf. Bis dahin war es eine offene Begegnung, doch die Flexibilität und Durchschlagskraft der Offensive brachte den Meister auf die Erfolgsspur.

Leider offenbarte die Partie aber ganz andere Probleme, mit denen vorher niemand gerechnet hatte. Den Bayern gelang es zwar, den Kader im Mittelfeld und im Angriff so zu verbreitern, dass der Qualitätsverlust bei Ausfällen erträglich wurde. Doch im Zentrum der Defensive kam es zur Katastrophe. Schon am dritten Spieltag der Saison hatte Guardiola keine Innenverteidiger mehr. Boateng war gesperrt, Benatia verletzte sich; auch Badstuber, Martínez und Kirchhoff waren nicht fit. Im Lauf der Saison wurde dieses Szenario zum Dauerzustand. Deshalb holten die Bayern im Winter Serdar Taşçı als Ausleihe von Spartak Moskau. Mit ihm wollten sie in der Bundesliga die regelmäßige Entlastung der neuen Stamminnenverteidigung gewährleisten: Kimmich und Alaba. Im Achtelfinale der Champions League aber wurde diese Verteidigung auf eine harte Probe gestellt. Gegner war Juventus Turin – eine physisch herausragende Mannschaft, die vorne einen alten Bekannten aufbot: Mario Mandžukić sollte im Zentrum die fehlende Körpergröße der Bayernspieler ausnutzen. Dementsprechend groß war dann auch die Skepsis in München. Schon wieder stand die vom Verletzungspech gebeutelte Mannschaft mit dem Rücken zur Wand. Und dann war da ja auch noch Guardiolas enttäuschende Auswärtsbilanz in der Champions League: Der Katalane wählte besonders in Hinspielen gern eine eher vorsichtige Ausrichtung. Ein Sieg (gegen Arsenal 2014),

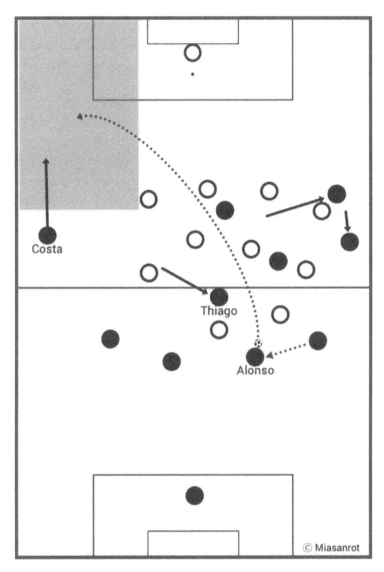

Abb. 9 *Bundesligasaison 2015/16, 3. Spieltag gegen Leverkusen: Bayern sorgte für Überzahl auf der rechten Seite. Alonso bekam den Ball und schlug einen blitzschnellen Diagonalball auf Costa, der das 1:0 vorbereitete.*

zwei Unentschieden (Manchester United 2014, Donezk 2015) und drei Niederlagen (Real Madrid 2014, Porto und Barcelona 2015) lautete zum damaligen Zeitpunkt die Auswärtsbilanz des FC Bayern unter Pep Guardiola in K.-o.-Spielen der Champions League. Darunter waren Spiele, in denen vom Guardiola-Fußball über weite Strecken wenig zu sehen war. Meist führte der vorsichtige Ansatz eher zu einer Verunsicherung.

Doch in Turin im Achtelfinale 2016 war alles anders. Guardiolas Mannschaft attackierte die von Massimiliano Allegri trainierte Elf früh, legte von Beginn an ein enormes Tempo vor. Juventus wurde 60 Minuten lang am eigenen Strafraum festgenagelt. Es war die dominanteste und überzeugendste Leistung der Saison, vielleicht sogar der gesamten Guardiola-Zeit. Seitenwechsel, schnelles Passspiel mit wenigen Kontakten, direkte Ballgewinne nach Ballverlusten, weil das Positonsspiel optimal umgesetzt wurde. Das waren 60 Minuten, in denen die Messlatte für die restlichen Monate gesetzt wurde – es schien, als könne eine ähnliche Dynamik wie 2013 entstehen.

Eine besondere Parallele lag darin, dass erneut im Winter klar war, dass der Trainer den Klub am Ende der Saison verlassen würde. Guardiola hatte sich gegen den FC Bayern entschieden. Über die Gründe dafür konnte nur spekuliert werden. In Barcelona hatte Guardiola nach vier Jahren das Gefühl, dass er die Mannschaft nicht mehr wie gewünscht erreichen würde. Vielleicht hatte er in München das gleiche Gefühl und entschied sich deshalb für einen vorzeitigen Cut. Aber das dürfte nicht der einzige Grund gewesen sein: 2018 befand er sich bei Manchester City in der gleichen Situation und entschied sich für eine Verlängerung. Es ist also nicht auszuschließen, dass Guardiola in München auch aus anderen Gründen nicht zufrieden war. Mit den Journalisten kam er immer weniger klar, auch die Pläne der Bosse sollen sich von denen des Trainers unterschieden haben. In jenen 60 Minuten in Turin jedenfalls stand die

Mannschaft voll hinter ihrem Trainer. Anderenfalls wäre sie zu einer solchen Leistung gar nicht fähig gewesen. Folgerichtig gingen die Münchner durch Tore von Thomas Müller und Arjen Robben mit 2:0 in Führung. Trotzdem blieb die Hoffnung vieler Fans, dass sich die Bayern nun endgültig in einen Rausch spielen würden, unerfüllt: Eine unglückliche Abwehr Joshua Kimmichs führte zum Anschlusstreffer der Turiner, die dann ihrerseits die Schlussphase kontrollierten. Juve wurde immer drückender, brachte die Bayern in große Schwierigkeiten. Guardiolas Mannschaft begann zu schwimmen und fand keine Lösungen mehr, um sich aus dem Druck zu befreien. Innerhalb von wenigen Minuten kippte die Partie komplett. Ein unnötiger Chipball Neuers brachte Juventus den Konter zum Ausgleich. Auch hier sah Kimmich, der zuvor bärenstark gespielt hatte und dem die fehlende Erfahrung kaum anzumerken war, nicht gut aus. Die Bayern brachten zwar das Unentschieden über die Zeit, verließen Italien aber mit dem Gefühl, dass man hier viel mehr hätte erreichen müssen. Aus den herausragenden ersten 60 Minuten machte die Mannschaft zu wenig. Eine so dominante Leistung hätte zwangsweise mit einem ausreichend hohen Auswärtssieg enden müssen. Doch die gute Ausgangslage wurde verspielt.

Guardiola dürfte nach dem Abpfiff in der Kabine sehr unangenehm geworden sein: Wenig regt den Katalanen so auf wie Niederlagen, die sich seine Mannschaft selbst zuzuschreiben hat. Kurzzeitig sah es so aus, als wäre der FC Bayern am absoluten Höhepunkt seines Schaffens angelangt – wie 2013 gegen Manchester City oder 2014 gegen Rom. Aber erneut war es nicht gelungen, diesen wundervollen Fußball konstant zu zeigen.

Das Rückspiel in München war das erste Spiel, das ich für *Miasanrot.de* als Autor begleiten durfte. Nach den ersten 60 Minuten des Hinspiels war ich optimistisch, dass mein Debüt direkt ein geschichtsträchtiger Sieg werden würde. Doch zunächst lag ich mit meinem Optimismus komplett daneben. Nach 45 Minuten stand es 2:0 für Juventus Turin. Bayern bekam kaum Tempo in das eigene Spiel, verlor einfache Bälle und ließ sich in den Kontersituationen geradezu vorführen. Beim 2:0 wirkte es so, als wäre Morata der schnellste Stürmer der Welt und Alaba ein Kreisliga-Libero mit gut ausgeprägtem Bierbauch-Ansatz. Es war eine Katastrophe. Mein Eindruck in der Halbzeit war, dass diese Mannschaft tot sei. Ich hatte noch nie eine Guardiola-Mannschaft gesehen, die so antriebs- und leblos wirkte. Gerne wäre ich jetzt in der Kabine gewesen, um zu hören, was der Trainer seinen Spielern zu sagen hatte. Denn in der zweiten Halbzeit kam der FC Bayern endlich ins Spiel, auch wenn es zu Beginn noch etwas kopflos wirkte. Gerade Vidal und Alonso standen sich in tiefen Zonen häufig auf den Füßen. Aber genau da zeigte sich, was Guardiola zu einem besonderen Trainer macht: Nach gut einer Stunde wechselte er Kingsley Coman für Alonso ein, ließ Vidal gleichzeitig höher spielen und überließ die Restverteidigung Alaba, Bernat und Kimmich.

Volle Offensivpower! Bayern drückte, Bayern rannte an – es war die maximale Leidenschaft. – Jene Leidenschaft, die in den ersten 45 Minuten komplett gefehlt hatte. Vidal warf sich in jeden Zweikampf, verhinderte Konter in letzter Sekunde. Coman, Costa, Ribéry, Müller und Lewandowski taten alles, um wie auch immer ein Tor zu erzielen. Vidal war ihr einziges Verbindungsglied. Hätten die Bayern dieses Spiel verloren, wäre die Kritik an Guardiola riesig gewesen. »Wie kann es nur sein, dass ausgerechnet er das Mittelfeld fast komplett auflöst?«, wäre gefragt worden. Doch Kimmich und Alaba unterstützten den Chilenen im Zentrum nach Leibeskräften. Und die taktischen Kniffe Guardiolas gingen auf. Die Folge war ein wahnsinniger Druck für Juventus. Je länger das Spiel dauerte und umso näher die Schlussphase kam, umso schneller wurde die Partie.

Über das Estadio Santiago Bernabéu in Madrid sagt man, dass Teams sich vor der letzten Viertelstunde fürchten würden, weil Real Madrid die einzigartige Fähigkeit besitze, auch nach 75 schwächeren Minuten noch plötzlich den Motor anzuwerfen und den Gegner zu überrollen. Aber die Bayern bewiesen an diesem Abend, dass sich auch die Allianz Arena hinter dem Madrider Stadion nicht verstecken muss. In der 73. Minute rettete Coman einen verloren geglaubten Ball und legte auf Costa ab. Die Flanke des Brasilianers fand Lewandowskis Kopf – dann stand es nur noch 1:2. Jetzt brauchten die Bayern nur noch ein Tor für die Verlängerung.

Der Kampf ums Weiterkommen wurde zum Drama. Als ich meinen Abgesang im Spielbericht quasi schon fertig hatte, eroberte Arturo Vidal auf einmal nach einem Ballverlust am gegnerischen Sechzehner die Kugel zurück. Er fand Coman, der den Ball in den Strafraum flankte. Dort wartete Thomas Müller am zweiten Pfosten – und köpfte ihn rein.

Ich rastete aus! Nicht, weil ich jetzt meinen Spielbericht neu schreiben konnte, sondern vor Freude. Plötzlich war der FC Bayern wieder quicklebendig. Für mich war das ein geradezu absurder Moment, weil ich eben noch so niedergeschlagen gewesen war, dass ich die Saison beinahe schon für beendet erklärt hätte …

Und es kam noch besser. Juventus schien das Glück nun völlig zu entgleiten. In der 101. Minute brachte Guardiola Thiago für Ribéry und somit wieder mehr Stabilität ins Spiel der Bayern. Jetzt kam es ja nicht mehr vor allem darauf an, um jeden Preis ein Tor zu erzielen. Zumal ein Treffer der Gäste wegen der Auswärtstor-Regel bedeutet hätte, dass die Münchner mindestens zwei gebraucht hätten.

Erneut bewies der Trainer mit seinem Wechsel ein goldenes Händchen, denn es war Thiago, der seine Mannschaft 3:2 in Führung brachte. Als Vidal dann am eigenen Strafraum ein weiteres Mal einen wichtigen Zweikampf gewann und Kingsley Coman zum

4:2 auf die Reise schickte, war die Stimmung in der Arena am Überkochen. Was für ein unglaubliches Achtelfinale, was für eine Achterbahnfahrt der Gefühle! 60 Minuten Traumfußball, 75 Minuten absolutes Chaos, 75 Minuten Aufholjagd – die Bayern zeigten die richtige Mentalität, die notwendige spielerische Klasse und größte Leidenschaft. Guardiola wiederum demonstrierte seine Gabe, Spielsituationen zu »lesen« und darauf zu reagieren. Damit rettete der FC Bayern seine Saison knapp.

In der Nacht nach dem Spiel fragte ich mich selbst, wie »gesund« es sein kann, wenn eine gesamte Saison nur noch auf diese besonderen Begegnungen reduziert wird. Dabei war doch gerade die Bundesliga in der Saison 2015/16 unglaublich packend! Thomas Tuchel entwickelte Borussia Dortmund in nur einer Saison zum Meisterschaftskandidaten – das war nach der langen Dominanz der Münchner keine Selbstverständlichkeit. Und er jagte die Bayern mit ihren eigenen Mitteln. Hatte er sich zuvor in Mainz noch vorwiegend an einem Fußball à la Jürgen Klopp orientiert, so machte er nun aus dem BVB eine Ballbesitz-Mannschaft mit vielen Elementen des Guardiola-Fußballs. Tuchel war einer der ersten Trainer in Deutschland, die sich am Katalanen orientierten – mit Erfolg!

Anfang März 2016 betrug der Rückstand der Dortmunder auf den FCB nur noch fünf Punkte, weil die Münchner gerade zu Hause gegen Mainz verloren hatten. Am nächsten Spieltag bekamen die Borussen die große Chance, im direkten Duell auf zwei Punkte heranzukommen. Damit hätte der Druck auf den Rekordmeister enorm zugenommen.

Die Anspannung war den Bayern auch durchaus anzumerken. In Dortmund sahen sie oft nicht gut aus, und es war nicht unrealistisch, dass es auch diesmal schiefgehen könnte.

Guardiola setzte erneut auf Kimmich und Alaba als Innenverteidiger: einerseits weil er musste, andererseits weil die beiden einen herausragenden Job erledigten. Je eingespielter sie waren, umso sicherer stand die ganze Mannschaft.

Es war beeindruckend, wie Guardiola es schaffte, dass die Mannschaft trotz der Ausfälle so stabil stand. Kimmich und Alaba nutzten ihr Tempo und ihre Spielintelligenz, um die fehlende Physis auszugleichen. Diese wiederum wurde vom jeweiligen Sechser aufgefangen. Der kippte gerade bei drohenden langen Bällen oder Flanken zwischen die Innenverteidiger.

Dieses Konzept funktionierte auch in Dortmund sehr gut. Obwohl Tuchel eine äußerst angriffslustige und spielstarke Mannschaft auf den Platz stellte, war sie nicht in der Lage, den Bayern so richtig gefährlich zu werden. Die Konterabsicherung funktionierte, das Mittelfeld stand gut, und selbst wenn Pierre-Emerick Aubameyang mal kurz vor dem Durchbruch war, stand die Restverteidigung wie eine Mauer. Das 0:0 fühlte sich am Ende wie ein Sieg an. In München war man sich sicher, dass das Ergebnis eine gute Ausgangslage für die Schlussphase der Saison bedeuten würde. Dortmund hingegen hatte seine Chance verpasst, die Bayern richtig unter Druck zu setzen.

Wie emotional diese Partie war, zeigte Guardiola direkt nach dem Abpfiff. Nachdem er fast alle Spieler abgeklatscht hatte, griff er sich Kimmich, umarmte ihn und redete dringlich auf den damals 21-Jährigen ein. Nach dem Spiel sagte er, dass Guardiola mit seiner Positionierung am Ende nicht zufrieden war. Das hätte das Unentschieden kosten können.

Guardiola war auch ohne diese emotionale Szene anzumerken, was für ihn alles auf dem Spiel stand. Jedes Detail konnte über Sieg oder Niederlage entscheiden. Überdeutlich wurde dabei aber auch, wie hoch die Erwartungen des Trainers speziell an Joshua Kimmich waren. Guardiola fordert von allen Spielen viel, aber wenn ihm einer besonders gefällt, fordert er noch mehr von ihm. Und ein Ausnahmetalent wie Kimmich wächst an einer solchen Herausforderung. Mit ihm als Innenverteidiger kam zunehmend Sicherheit ins Spiel der Bayern. Niemand hätte es am Ende der Saison gewagt, das Fehlen von Abwehrchef Jérôme Boateng für irgendeine Niederlage verantwortlich zu machen. Ein größeres Kompliment für Joshua Kimmich konnte es gar nicht geben.

Woche für Woche marschierten die Bayern in der Bundesliga voran. Dortmund konnte irgendwann nicht mehr mithalten – am Ende waren es auch deshalb zehn Punkte Vorsprung für die Bayern, weil die Borussen in den letzten Spielen keine Chance mehr für sich sahen und daraufhin einbrachen. Am Ende war es ein psychologischer Fernkampf gewesen, den der Rekordmeister gewann. Mit ihrem vierten Meistertitel in Folge schrieben die Bayern mal wieder Geschichte: Weder der großen Siebzigerjahre-Mannschaft noch dem Team um Oliver Kahn und Stefan Effenberg war das gelungen – die Generation Lahmsteiger war es, der eine solche Meisterserie gelang.

Auch wenn Bastian Schweinsteiger beim vierten Titel nicht mehr als Spieler dabei war, so war er es doch mindestens in den Herzen der Fans. Sein Wechsel und die Verpflichtung von jungen Spielern hatten im Ergebnis dazu geführt, dass die Bayern im letzten Guardiola-Jahr das hohe Niveau und die hohe Intensität halten konnten. Verletzungen wurden besser weggesteckt, das System griff endlich ohne größere Schwachstellen. Vidal verstärkte nach einer schwierigen Anfangsphase das Gegenpressing und sorgte für eine zusätzliche Option im Offensivspiel. Für ihn setzte Guardiola sogar seinen Liebling Thiago mehrfach auf die Bank. Außerdem wurde der Ansatz durch den Chilenen etwas pragmatischer: Guardiola ließ beinahe dauerhaft 4-1-4-1 bzw. 4-3-3 spielen und passte seine Mannschaft nur noch im Detail an die Gegner an. Er schien endlich die richtige Mischung aus Rhythmus und Anpassungen gefunden zu haben. Dadurch wurde das Spiel der Bayern unglaublich effizient. Zwar befand sich der Kader wegen vieler Verletzungen erneut am Limit, aber vor dem Halbfinale der Champions League gegen Atlético Madrid hatte man trotzdem das Gefühl, dass es diesmal reichen könnte: Die Mannschaft hatte einen guten Rhythmus, konnte Rückschläge wegstecken und hatte auch etwas Glück – lauter gute Vorzeichen. Dementsprechend groß waren die Erwartungen, dass Guardiola nun endlich die Vollendung seiner Zeit bei den Bayern in Form des Champions-League-Pokals gelingen würde.

Allerdings erwartete den FC Bayern im Hexenkessel von Madrid eine der größten Herausforderungen des Weltfußballs. Die Mannschaft von Atlético-Trainer Diego Simeone zu schlagen, ist auf jedem Platz der Welt schwierig genug. Doch sie in ihrem eigenen Stadion zu besiegen, gleicht den zwölf Aufgaben des Herakles. In der Dekade ab 2010 gab es keine andere Mannschaft, die so konsequent, diszipliniert und herausragend verteidigte wie Atlético.

Ohne Ball Fußball zu spielen, ist allein aus mentaler Sicht problematisch. Favre und Klopp haben beispielsweise selbst mehrfach erlebt, wieviel Intensität und mentale Stärke dieser Stil abverlangt. Fußballer wollen den Ball haben. Ihre Instinkte sagen ihnen, dass sie die Kugel am Fuß haben müssen.

Trainer, die auf eine kompakte Defensive setzen, sagen ihnen, dass sie auf den richtigen Moment warten, dass sie geduldig sein müssen. Dieser Konflikt führt dazu, dass es nicht viele Spieler gibt, die für Atléticos Simeone spielen können.

Oft geht der Zauber eines solchen Trainers nach wenigen Jahren verloren, weil die Mannschaft diese hohe Intensität nicht mehr liefern kann. Gerne wird dann von Abnutzung gesprochen. Doch bei Atlético ist es den Verantwortlichen durch kluge Transfers und die hohe Trainingsqualität Simeones gelungen, den Spielstil über viele Jahre erfolgreich durchzuziehen.

In Madrid erwarteten den FC Bayern die beiden besten Viererketten der Welt: ein 4-4-2 der Extraklasse. Wenn Atlético verschob, war das ein Kunstwerk, das es in der Geschichte des Fußballs so nur selten zu betrachten gab. Höchstens Arrigo Sacchis AC Mailand um 1990 herum kann da noch mithalten. Simeones Mannschaft verschloss die Räume, lockte ihre Gegner bewusst in verlockende Zonen, um dann wie ein Raubtier zuzuschlagen und den Ball zu jagen. Nach dem Ballgewinn war der Schnellzug dann kaum noch aufzuhalten. Wer sich gegen Atlético Fehler erlaubte, war chancenlos.

Das bedeutete die maximale Herausforderung für Guardiolas Fußballstil. Schon als die Spieler den Rasen des Estadio Vicente Calderón – bis 2017 die Heimat des inzwischen ins Wanda Metropolitano umgezogenen Vereins – inspizierten, wurde eines sehr deutlich: Hier kannst du kein gepflegtes Kurzpassspiel aufziehen. In Madrid hatten sie alles dafür getan, um den Bayern das eigene Spiel zu erschweren. Für ein Champions-League-Halbfinale war dieser Platz eigentlich nicht gemacht.

Trotzdem hielten die Bayern nach einem langen Aufwärmtraining und der Platzbegehung an ihrem Spiel fest. In den ersten 30 Minuten sollte das verheerende Folgen haben. Das Passspiel der Münchner war keine Katastrophe, doch es fehlten die entscheidenden Nuancen in puncto Genauigkeit und Schärfe. Diese Nuancen wusste Atlético für sich zu nutzen. In der Anfangsphase übten sie einen extrem hohen Druck auf die Gäste aus und kamen so zu einigen Ballgewinnen. Schon in der 14. Minute war es Saúl Ñíguez, der nach einem herausragenden Solo das 1:0 erzielte. Fünf Münchner ließen sich dabei düpieren, Neuer war chancenlos – und Guardiola fand sich im schlimmsten Szenario wieder, das er sich hätte ausmalen können: Die beste Defensive der Welt führte im eigenen Stadion mit 1:0.

In der ersten Halbzeit gelang es den Bayern nur durch Standards und Fernschüsse, zu Abschlüssen zu kommen. Von über 300 Pässen kamen nur vier in den Strafraum des Gegners. Atlético verschob nahe an der Perfektion und ließ keinen Zweifel daran, wie hart dieses Halbfinale noch werden würde.

Im zweiten Durchgang wusste Guardiola aber wieder mit taktischen Anpassungen zu überzeugen. Vidal und Thiago sollten direkt am gegnerischen Strafraum für Überzahlsituationen sorgen, indem sie Dreiecke mit den Außenspielern und Angreifern bildeten. Durch die offensivere Spielweise entstand zwar auch ein höheres Risiko, doch Atlético wurde nun über weite Phasen des Spiels an den eigenen Strafraum gedrückt. Bayern gewann durch die Umstellungen an Kreativität, spielte sich viel bessere Chancen heraus. Außerdem waren sie durch die deutlich höhere Präsenz im letzten Drittel dazu in der Lage, den Ball bei Fehlern direkt zurückzuerobern. Das Gegenpressing erhöhte die Fehlerquote bei Atlético um ein Vielfaches. Bayern war nun endlich in der Partie angekommen, schaffte es aber nicht mehr, das so wichtige Auswärtstor zu erzielen. Wie bereits in den Jahren 2014 und 2015 war die Leistung insgesamt beachtlich, doch ohne Tor sanken die Chancen auf ein Weiterkommen enorm. Es schien, als würden den Münchnern in wichtigen Augenblicken die Nerven versagen. Dabei waren sie gegen Atlético Madrid so nah wie lange nicht mehr am Erfolg gewesen …

Die letzte Patrone

Mit dieser Niederlage wurde die Kritik an Pep Guardiola abermals lauter. Kritisiert wurde auch die Entscheidung des Katalanen, Thomas Müller auf die Bank zu setzen. Thiago, der zunächst auflief, hatte nicht seinen besten Tag und war am Gegentor beteiligt. Als Müller eingewechselt wurde, entfachten die Bayern mehr Druck in der Offensive. Zunehmend sprachen Fans und Experten davon, dass Guardiola sich in den großen Spielen »vercoachen« würde. Doch die Mannschaft zeigte trotz der massiven Kritik Geschlossenheit. Guardiola sprach von seiner letzten Patrone. Heimstärke, Zusammenhalt, Angriffslust – das Team verkörperte in der Woche zwischen den beiden Spielen gegen Atlético Madrid die Mentalität, die es brauchen würde, um doch noch ins Finale einzuziehen.

Das Rückspiel sah ich damals mit großen Teilen der *Miasanrot*-Redaktion in Berlin. Wir waren geteilter Meinung darüber, ob es tatsächlich gelingen würde, den Traum vom erneuten Finale wahr zu machen. Die Skepsis überwog. Doch die Bayern wussten von Beginn an, was zu tun war. Anders als 2014 gegen Real Madrid rannte die Mannschaft nicht ins offene Messer. Sie kontrollierte die Partie und wartete geduldig auf ihre Chancen. Ein großer Faktor im Spiel war dabei Xabi Alonso. Der damals 34-Jährige bekam viel von der öffentlichen Kritik ab, zeigte aber eindrucksvoll, dass er trotz seiner mangelnden Geschwindigkeit immer noch als Taktgeber glänzen konnte. Er lenkte alle Angriffe seiner Mannschaft und sorgte mit vertikalen Zuspielen dafür, dass sich Guardiolas riskante Aufstellung auszahlte. Sein Pendant im Mittelfeld war Arturo Vidal, der oftmals so hoch schob, dass Alonso keine Unterstützung im Zentrum blieb. Auch Müller, der diesmal für Thiago spielte, war eher in der letzten Linie zu finden als im Spielaufbau. Umso wichtiger war es, dass Alonso die Wege ins letzte Drittel fand. Es schien sehr lange so, als würde dieses Halbfinale seine Heldengeschichte im Trikot des FC Bayern werden.

Schon nach einer Viertelstunde hatten die Münchner das Geschehen komplett unter Kontrolle. Sie erspielten sich mehrere gute Angriffe, waren zweikampfstark, ließen Atlético kaum zu Gegenstößen ausholen. Mental, physisch und strategisch war das eine herausragende Leistung. Als Alonso dann mit einem wunderschönen Freistoß die frühe Führung erzielte, flippten wir komplett aus. Die Mannschaft hatte es in kürzester Zeit geschafft, das Duell vorerst auszugleichen, aber auch die Fans wieder komplett hinter sich zu bringen. Es war mit großem Abstand der beste Fußball, den ich je von einem Bayern-Team gesehen habe.

Gegen die beste Defensive der Welt erspielten sich die Münchner 33 Abschlüsse. Sie schafften es, dass die Passquote der Simeone-Elf bei nur 57 Prozent lag. Rein fußballerisch war das eine Machtdemonstration. Guardiolas Mannschaft agierte gefühlt mit einem Mann mehr, weil sie das Positionsspiel des Katalanen fast perfekt umsetzte. Nach Ballverlusten kamen sie direkt ins Gegenpressing und ließen damit keine Konter zu. Die fünf offensiven Spieler positionierten sich so zwischen den beiden Viererketten der Gäste, dass Alonso mit seinen Pässen stets für Gefahr sorgen konnte. Diego Simeone sprach nach dem Spiel davon, dass die Bayern in der ersten Halbzeit der beste Gegner seiner Karriere gewesen seien.

Umso bitterer war der Ausgang dieser Partie. Das Spielglück war nicht auf der Seite des FC Bayern, und in wichtigen Momenten versagten erneut die Nerven. Noch in der ersten Halbzeit verschoss ausgerechnet Thomas Müller einen Elfmeter. Im zweiten Durchgang sorgte ein Missverständnis zwischen Boateng und Alonso für die erste Großchance der Spanier, die direkt zum Ausgleich führte. Obwohl das der Moment war, in dem das Halbfinale komplett kippen konnte, machten die Bayern aber zunächst genauso weiter wie in der ersten Halbzeit. Sie dominierten ihren Gegner auf allen Ebenen. Lewandowski gelang noch das 2:1, Atlético verschoss ebenfalls einen Elfmeter.

Es ist nicht einfach, nach einer so großen Partie darüber zu diskutieren, woran genau es gelegen hat. Auch mit einigen Jahren Abstand ist das kaum möglich. Elfmeter können verschossen werden. Das passiert. Der Fußball, den die Mannschaft im Rückspiel spielte, war alles, was man von Pep Guardiola erwarten konnte. Vielleicht sogar ein bisschen mehr. Bayern-Fans erlebten in dieser Nacht die Vollendung des Guardiola-Fußballs. Leider erlebten sie nicht den ganz großen Wurf. Umso leerer und fassungsloser war ich nach dem Abpfiff. Dreißig verschlafene Minuten im Hinspiel sowie eine mangelnde Chancenverwertung im Rückspiel verhinderten ein weiteres Champions-League-Finale, das sich der FC Bayern mit Pep Guardiola durchaus verdient gehabt hätte.

Doch auf der Weste des Trainers blieb nun ein Fleck. Die letzten Wochen waren für ihn gewiss nicht einfach. Der Versuch, die öffentliche Aufmerksamkeit auf das letzte Finale seiner Ära zu lenken, gelang nur mäßig. Ein versöhnlicher Abschied mit Deutschland rückte in weite Ferne. Als der FC Bayern am 33. Spieltag in Ingolstadt Meister wurde, wollte Guardiola zunächst das Meister-Shirt nicht anziehen; er hielt es nachdenklich in der Hand und schmiss es sich dann über die Schulter. Während seine Mannschaft in der Kurve gerade den vierten Titel in Serie feierte, kapselte er sich bewusst ab.

Kein Wunder: Wie jeder Mensch möchte auch Guardiola verstanden werden. In Ingolstadt wurde deutlich, dass er sich nicht verstanden fühlte. Nach dem Ausscheiden in der Champions League wurde er mit vermeintlichen Fehlern konfrontiert. Ob es eine große Enttäuschung sei, dass er das Triple nicht gewonnen habe, wurde er mehrfach gefragt. Titel hier, Titel da – die Art und Weise, wie die

Mannschaft im Halbfinale Fußball gespielt und die beste Defensivmannschaft der Welt in Gefahr gebracht hatte, interessierte kaum jemanden. Guardiolas Antworten waren meist knapp und reserviert. Er hatte schon lange keine Lust mehr, sich auf solche Spielchen in den Pressekonferenzen einzulassen. Er war regelrecht genervt.

Auch deshalb, weil sein letztes großes Spiel als Bayern-Trainer kurz bevorstand: Thomas Tuchel und Pep Guardiola sollten sich noch zu einem letzten Tanz in Berlin treffen – zum Pokalfinale. Diese beiden Trainer also, die mit ihren Teams die Liga dominiert hatten. Zusätzliche Brisanz in die Begegnung brachte die Bekanntgabe des Wechsels von Mats Hummels, der bei den Bayern alle Jugendmannschaften durchlaufen und dann acht Jahre bei den Borussen gespielt hatte. Ab der neuen Saison würde er wieder für die Bayern auflaufen.

Die Fans erlebten trotzdem kein spektakuläres DFB-Pokalfinale. Die Dortmunder versuchten zwar durchaus, die Münchner auch mal höher anzulaufen, ließen das letzte Risiko aber vermissen. Dafür standen sie in tieferen Zonen kompakter und konnten die Bayern damit früh auf die Außenbahnen lenken. Chancen gab es für beide Teams immer wieder, ein Spektakel war es nicht. Kimmich hatte als Innenverteidiger Reus im Griff, Dortmund stand meist gut. Erst im Lauf der zweiten Halbzeit wurden die Bayern etwas besser. Guardiola ließ Müller zunehmend auf den Flügel ausweichen, um dort mit Lahm und Costa für mehr Durchbrüche zu sorgen. Das zog die Fünferkette der Borussia etwas auseinander und führte tatsächlich zu einigen guten Gelegenheiten. Wirklich zwingende Chancen gab es trotzdem nicht. Eine lange Saison forderte ihren Tribut.

Einem beachtlichen Teil an Bayern-Fans wäre es vermutlich sogar egal gewesen, in welcher Form sich Guardiola verabschiedet. Ich zählte zu denen, die noch während der Partie daran dachten, dass es einfach nicht passieren darf, dass er erneut »nur« einen Titel gewinnt. Die Mannschaft hatte unter ihm eine so tolle Entwicklung genommen. Schon gegen Atlético hatte sich das letztlich nicht ausgezahlt. Auch gegen den BVB wäre es beinahe schiefgegangen: In der 85. Minute blieb mein Herz kurz stehen, als Aubameyang aus bester Position verpasste. Das wäre der K. o. gewesen.

Der DFB-Pokal scheint keine gute Bühne für Abschiede zu sein. Im Vorjahresfinale verlor Klopp sein letztes großes Spiel mit Borussia Dortmund. Für die Bayern ging es diesmal ins Elfmeterschießen. Natürlich. Der Fußball schreibt seine Geschichten grundsätzlich in Form eines Dramas. Dortmund durfte vorlegen. Nachdem Kagawa und Vidal trafen, war es Manuel Neuer, der den Schuss von Sven Bender parierte. Lewandowski brachte die Münchner im Anschluss in Führung. Auch Sokratis verschoss, und so war es Joshua Kimmich, der eine Vorentscheidung bringen konnte.

Kimmich hatte gerade das Spiel seines Lebens hinter sich. Gegen Reus und Aubameyang gewann er fast jeden Zweikampf. Ohnehin gehörte er zu den herausragenden Spielern der Rückrunde. Gerade als Guardiola die Spieler ausgingen war er da. Mit seiner Mentalität und Einstellung erinnerte Kimmich an Schweinsteiger. Sein Spielverständnis erinnerte an Philipp Lahm. Im Finale spielte er wie eine Symbiose der beiden: Als heiße er Lahmsteiger.

Sein Elfmeter erinnerte allerdings eher an einen Rückpass. Bürki parierte den zaghaften, beinahe ängstlichen Schuss, und plötzlich war die Angst wieder da, dass es schiefgehen könnte. Auch beim Finale Dahoam hatten die Bayern im Elfmeterschießen zunächst einen Vorteil, den sie dann verspielten. Aubameyang und Reus waren zudem sichere Schützen. Beide trafen auch an diesem Abend. Bei den Bayern traten Müller und Costa an. Schon bei Müller hatte ich große Sorgen, doch er zeigte keine Nerven. Anders als im Halbfinale der Champions League verwandelte er sicher. Es hing also alles an Douglas Costa: Der Brasilianer schien nicht viel nachzudenken. Er machte einfach.

Ich vergrub mein Gesicht unter meinem Schweinsteiger-Trikot. Costa lief an und versenkte den Ball im rechten unteren Eck. Schluss! Aus! Guardiola und die Bayern hatten das Double!

Ich sackte zusammen und fing an zu weinen. Vor Freude natürlich. Was für eine Erleichterung!

Für Pep Guardiola hatte ich mir das so sehr gewünscht. Und dann sah ich seine Tränen, seine Freude, seine Umarmungen mit den Spielern und war einfach nur berührt. Ich versuchte, jeden Augenblick aufzusaugen. Für mich war die Zeit mit Pep Guardiola eine sehr besondere in der Historie des FC Bayern. Auch wenn ich da längst nicht für alle Bayern-Fans spreche, so war für mich dieser Pokalsieg auch deshalb so wichtig. So distanziert der Katalane gerade am Ende seiner Amtszeit war – und so oft er uns Fans auch in den Wahnsinn trieb –, so dankbar war ich doch auch für seine Errungenschaften. Diesen emotionalen Höhepunkt hatte er sich zum Abschied verdient – genau wie die Mannschaft, die einen langen Weg mit diesem Trainer gegangen war.

Was bleibt von Guardiola?

So emotional und erfolgreich die Zeit mit Jupp Heynckes auch gewesen ist – das fußballerische Level, das die Mannschaft unter Pep Guardiola erreichte, ist noch einmal etwas anderes. Der Katalane hatte die klare Aufgabe, den Zenit dieser Ära zu strecken. Rückblickend muss man sagen, dass er diese Erwartung sogar übertroffen hat. Schaut man sich die Entwicklung des FC Bayern zwischen dem Triple 2013 und dem Pokalfinale 2016 gegen Borussia Dortmund an, so wird man auf vielen Ebenen positive Veränderungen feststellen können. Guardiolas größter Verdienst auf Vereinsebene war die taktische Flexibilität. Die Spieler bekamen für jede Situation mehrere Lösungen an die Hand. Durch Guardiolas Positionsspiel entstand eine bis heute in Deutschland einmalige Dominanz. Mit 2,52 Punkten pro Spiel ist er (Stand: Januar 2019) der erfolgreichste Bundesliga-Trainer mit mindestens fünf Einsätzen. In 161 Pflichtspielen holte er mit den Bayern 124 Siege bei nur 21 Niederlagen. Mit ihm bestritt der FCB fast alle Spiele, die möglich waren. Lediglich die drei Champions-League-Finals sowie die daraus resultierenden Super-Cup- und Klub-WM-Teilnahmen sowie das DFB-Pokalfinale 2015 blieben ohne bayerische Teilnahme. Mit nur 17 Gegentoren stellte der FC Bayern unter Guardiola im Jahr 2016 einen weiteren Bundesliga-Rekord auf: ein Wert, der noch einmal unterstreicht, wie vielseitig und komplex die Philosophie des Katalanen ist. Mit sieben Titeln in drei Jahren holte Guardiola eine beeindruckende Zahl an Pokalen.

Er selbst aber sagte nach dem Pokalfinale in Berlin 2016: »Titel sind nur Nummern.« Es seien die Erfahrungen in den drei Jahren gewesen, die ihm viel bedeuten würden. In der Tat hatte sich nicht nur der FC Bayern dank seines Trainers entwickelt, sondern auch der Trainer dank seines Klubs. In Deutschland lernte Guardiola neue Elemente des Fußballs kennen. Er passte seine Philosophie nicht nur an die Spieler an, sondern auch an das Land.

Fußballdeutschland ist seit Jürgen Klopp das Land des Pressings. Gegen den Ball sind die Mannschaften extrem gut organisiert. Guardiola musste in München Lösungen ohne Messi, Iniesta, Busquets und Xavi finden, um Gefahr zu erzeugen. Mit Boateng entwickelte er einen »Quarterback« für sein Spiel, der ein komplett neues Stilmittel einbrachte. Lange Bälle wurden fortan genutzt, um hohes Pressing zu überspielen.

Thomas Tuchel sprach immer wieder davon, wie mechanisch der Fußball der Bayern war. »Peps Fußball bei den Bayern war ein anderer als der bei Barcelona. Auch für meinen ästhetischen Geschmack war es nicht mehr so fließend, so rhythmisch«, meinte der Trainer im Jahr 2017 bei einer Gesprächsrunde der DFB-Kulturstifung. »In seinem allerersten Jahr in Bayern war er ganz nah dran. Da spielten sie in Manchester City, ich schaute mir das Spiel an und dachte: ›Du glaubst es nicht. Jetzt ist es schon wieder so weit. Niemand kann an den Ball kommen und wir haben einen Rhythmus, da kannst du Musik drauf laufen lassen.‹ In der ständigen Weiterentwicklung und Risikominimierung ist, glaube ich, etwas passiert, dass es irgendwann nicht mehr so schön anzuschauen war. Die Bayern haben weiter gewonnen und gewonnen und haben 90 Punkte geholt, es war aberwitzig, alles war krass durchgeplant, der Gegner wurde praktisch erdrückt. Gerade in der Bundesliga gab es keine Mannschaften, die diesem Dauerdruck standhielten. Das enorme Gegenpressing und die nahezu perfekte Ballzirkulation sorgten dafür, dass nur ganz selten etwas gegen die Bayern zu holen war.«

An diesem Abend sprach Tuchel aber auch etwas an, das den Bayern in den ganz großen Momenten vielleicht fehlte: Das Spiel hatte »etwas Klinisches und unfassbar Konstantes, aber eben nicht mehr die Angriffsromantik wie bei Barcelona oder bei den Bayern im ersten halben Jahr«, meinte der Mann, der heute Paris Saint-Germain trainiert.

Die Bayern hatten irgendwann eine Statik mit Abläufen entwickelt, die sie zu einer dominanten Ergebnismaschine machte. Spektakel wie gegen Manchester City oder AS Rom wurden immer seltener, weil jeder Laufweg und jeder Pass wie geplant wirkten. Einerseits brachte diese Risikominimierung einen extrem effizienten Fußball, andererseits ging den Bayern damit ein Stück Leichtigkeit verloren.

Für mich ist das in etwa so wie ein Vergleich zwischen Ronaldo und Messi. Bei Cristiano Ronaldo wird in jedem Spiel deutlich, wie hart und ehrgeizig er trainiert. Er hat für die Stellung, die er auf der Welt genießt, hart gearbeitet. Sein Spiel ist wuchtig, durchschlagskräftig, nahezu komplett, aber eben auch etwas mechanisch. Er wirkt wie eine Maschine, die alles überrollt. So war der FC Bayern ab dem zweiten Guardiola-Jahr. Lionel Messi hingegen ist für mich pure Magie und Leichtigkeit. Er sorgt für die besonderen Momente, indem er komplett unerwartete Dinge tut, die einfach nicht plan- und trainierbar sind. Das sind Geniestreiche aus dem Nichts.

Natürlich muss auch Messi sehr hart für seinen Erfolg arbeiten und trainieren. Aber bei ihm wirkt alles dermaßen leicht, dass es die Leute verzaubert. So war Guardiolas Barcelona. Bei den Bayern entwickelte er einen immer mechanischer werdenden, erdrückenden Stil, der eine ganz andere Ästhetik hatte. Er machte aus diesem Klub eine Maschine, die ihr eigenes Verständnis von Fußball verfeinerte und komplettierte. Im letzten Jahr entstand dadurch ein Gefühl der Unschlagbarkeit, das gegen Atlético Madrid auf absurde Art und Weise ein jähes Ende fand.

Vielleicht hat es der Trainer im ersten Jahr zu sehr auf die Spitze getrieben, als er den Spielern vor dem Rückspiel gegen Real Madrid das Zepter überließ. Vielleicht war das aber auch notwendig, um ihnen zu zeigen, dass man ohne Veränderungen zum Stillstand kommt. Fakt ist, dass der Großteil seiner Spieler ab diesem Moment zu jeder Zeit hinter ihm stand.

Im zweiten Jahr war der durch Verletzungen ausgedünnte Kader nicht in der Lage, ein Barcelona in Top-Form zu schlagen. Auffällig war, dass elf der 21 Guardiola-Niederlagen im April oder Mai stattfanden – also in der Zeit, in der es um alles ging. Er schaffte es nicht, seinen Kader für diese Zeit auf ein entsprechendes Fitness-Level zu bringen.

Selbst im Jahr 2016, als es ihm gelang, Atlético Madrid beinahe zu besiegen, fielen kurz vor oder während des Duells wichtige Spieler aus. Verletzungen sind nie komplett zu vermeiden, doch es bleibt der Gedanke, dass in der Trainingsmethodik vielleicht Fehler gemacht wurden.

Allerdings waren die Erwartungen an den Star-Trainer aber auch von Anfang an so groß, dass er sie kaum erfüllen konnte. Der erste Fehler war, ihn am Triple zu messen. Schon unter Jupp Heynckes brauchte es dazu neben der eigenen Top-Form auch viel Glück. Irreguläre Tore gegen Barcelona, kein Platzverweis für Ribéry im Finale der Champions League – es gibt viele Szenen, in denen die Geschichte auch einen ganz anderen Verlauf hätte nehmen können. Guardiola fehlte dieses Glück fast komplett. Seine Schlüsselspieler wurden älter und anfälliger für Verletzungen. Dass Thomas Müller am Elfmeterpunkt die Nerven versagten und auch andere große Chancen verpasst wurden, kann nicht an Pep Guardiola festgemacht werden. Seine tatsächlichen Fehler beschränkten sich in den meisten Fällen auf Nuancen. Sonst wäre der Klub in diesen drei Jahren nicht nochmal besser und professioneller geworden.

Vor den direkten Duellen mit dem FC Bayern hörte man inzwischen selbst aus Dortmunder Kreisen, wie ruhig, gelassen und bescheiden der FC Bayern unter Guardiola wurde. Jeder Gegner wurde respektiert, jede Mannschaft mit demselben Hunger und derselben Einstellung bespielt. Die Spiele, in denen der FC Bayern wirklich antriebslos spielte, lassen sich an einer Hand abzählen. Tuchel sprach in diesem Zusammenhang von einer einmaligen Gier, die die Münchner damals auszeichnete. Wurde dem Rekordmeister in seiner langen Geschichte oft zu Recht Arroganz vorgeworfen, entstand in den Jahren nach dem Triple ein angenehm bescheidenes Auftreten. Es gab kaum noch verbale Angriffe auf andere Vereine; auch der Umgang in der Öffentlichkeit miteinander war immer voller Respekt. Das hing nicht zuletzt sicher auch damit zusammen, dass Uli Hoeneß in dieser Zeit im Gefängnis saß. Guardiola und insbesondere Matthias Sammer verkörperten eine Außendarstellung, die dem FC Bayern dabei half, auch intern »positiv geerdet« zu bleiben.

Was die Außendarstellung anging, machte Guardiola aber genau hier seinen größten Fehler. Er baute um sich herum eine Mauer auf, die kaum Einblicke in seine Arbeit gewährte. Interviews gab es mit ihm so gut wie nie. Damit sorgte er von Beginn an für eine Distanz zwischen ihm und den Journalisten, die ihm am Ende auf die Füße fiel. Der Mensch und Trainer Guardiola öffnete sich einfach zu selten, um Verständnis einfordern zu können.

Auf der anderen Seite trugen aber auch große Teile der Medien ihren Teil dazu bei, dass der Katalane nur noch genervt reagierte. Was Guardiola in seiner Zeit in Deutschland gelernt hat, zeigte er nicht zuletzt mit der Amazon-Serie »All or Nothing«: Während er sich zuvor beim FC Bayern mit seiner verschlossenen und akribischen Art das Leben selbst schwer gemacht hatte, gewährte er hier detailreiche Einblicke in seine Arbeit bei Manchester City in der Rekordsaison 2017/18, als er mit dem Verein gleich zwölf Bestmarken in der englischen Fußball-Eliteliga erreichte – darunter mit 100 Punkten die höchste jemals erreichte Punktezahl in der Geschichte der Premier League.

In seinem letzten Münchner Jahr hatte Guardiola aber nicht nur mit Widerstand von außen zu kämpfen. Auch beim FC Bayern zeigten sich viele Verantwortliche genervt. Das Verhältnis zwischen dem Katalanen, einigen Spielern und vielen Verantwortlichen hatte sich abgenutzt. Es war nicht so, dass die Wertschätzung darunter gelitten hätte. Fachlich stellte im Verein niemand in Frage, was Guardiola in seinen drei Jahren alles erreichte. Allerdings war spätestens im Lauf des dritten Jahres klar, dass die fordernde Art des Trainers zunehmend zum Problem wurde. Die Spieler waren mental am Limit. Es gab kaum Pausen, in denen sie ein bisschen verschnaufen konnten. Auf der einen Seite war es genau dieser akribische Druck des Trainers, der sie besser machte. Das ist ein bisschen wie in der Schule: Oft sind die forderndsten Lehrer, die einen immer wieder dazu bringen, an seine Grenzen zu gehen und sich dabei stets auch ein Stück weit selbst neu zu entdecken und zu erfinden – die besten. Doch irgendwann wollen die Schülerinnen und Schüler auch einfach mal nichts tun, sich von all dem Stress erholen. Lehrer, die ihren Schülern ständig alles abverlangen, sind zwar oft erfolgreich, aber meist auch unbeliebt. Ausnahmen bestätigen da die Regel. Philipp Lahm zum Beispiel war der Streber in der Klasse – derjenige, der von seinem Meister nicht genug kriegen konnte. Er wuchs nicht nur an Guardiolas herausfordernder Art, er ging sogar in seinen Aufgaben richtig auf. Lahm agierte als Mittelfeldspieler, als einrückender Außenverteidiger, als Hybrid-Spieler aus Achter, Sechser und Rechtsverteidiger – er war der Schlüssel zum Erfolg. Dementsprechend hoch waren aber auch die Erwartungen an ihn.

Neben Lahm gab es noch andere Spieler, denen es ähnlich erging – ein Teil des Kaders aber war tatsächlich froh, nach dieser intensiven Zeit einen Trainer zu bekommen, der nicht ständig unter Hochspannung stand.

Und doch werden Guardiolas drei Jahre in München immer etwas Besonderes bleiben. Viele Fans haben erst Jahre später gemerkt, wie anspruchsvoll seine Art von Fußball ist und welch enorme Qualität der Katalane mitbrachte. Was Klinsmann einst übermütig versprach, konnte Guardiola zu großen Teilen einhalten: Er machte fast jeden Spieler besser. Boateng wurde zum besten Innenverteidiger der Welt, Alaba entwickelte sich zur Allzweckwaffe, und selbst Lahm lernte in der Endphase seiner Karriere noch etwas dazu.

Wollte man die Entwicklung des FC Bayern von van Gaal bis Guardiola auf ein Bild bringen, könnte man die Strategie des Niederländers mit der Anleitung zum Bau eines Baumhauses vergleichen, für das aber noch ein paar Nägel und Bretter fehlten. Heynckes war derjenige, der die fehlenden Teile besorgte, aber noch sehr darauf achten musste, dass unterwegs nichts verloren ging. Heynckes war es dann auch, dem es gelang, das Baumhaus aufzubauen, und Guardiola sollte dafür sorgen, dass dieses Haus in den folgenden Jahren nicht nur instandgehalten wurde, sondern auch noch eine Heizung, einen Fahrstuhl, ein Fenster sowie ein zweites Baumhaus gleich nebenan bekam. Das war vielleicht ein bisschen viel verlangt – aber immerhin gelang es Guardiola, das ohnehin schon schicke Haus um eine weitere Leiter und ein schönes Fenster zu erweitern.

Darüber hinaus hat der Katalane die Art und Weise, wie in Deutschland über den Fußball nachgedacht wird, merklich verändert. Nicht nur Trainer wie Joachim Löw, Thomas Tuchel, Julian Nagelsmann oder René Maric orientieren sich stark an seiner Philosophie, auch viele Fans haben nun ein Verständnis dafür, wie komplex ihr Sport geworden ist. Details entscheiden Spiele, und Trainer bestimmen oftmals die Details, die den Unterschied machen. Guardiola ist dafür das beste Beispiel, auch wenn er wegen seiner distanzierten Art nicht bei jedem Bayern-Fan so emotional bewegend in Erinnerung bleiben wird wie Jupp Heynckes oder Ottmar Hitzfeld.

Klar: Guardiola polarisierte. Er war und ist kein Heiliger, sondern ein Mensch mit Fehlern und Macken. Und in seiner Generation wohl der beste Trainer der Welt.

Aber manches lernt man ja erst zu schätzen, wenn man es nicht mehr hat. Schon der nächste Trainer nach Pep Guardiola offenbarte, dass dessen drei Jahre nach dem Triple keine Selbstverständlichkeit waren. Und schon gar kein Scheitern.

Kapitel 4: 2016–2018

Entfesselte Ancelotti-Bayern?

Im Dezember 2015 verkündete der Rekordmeister, dass ab der neuen Saison Carlo Ancelotti auf den nach Manchester wechselnden Pep Guardiola folgen sollte. Der Italiener war bekannt als jemand, der ein vertrauensvolles Verhältnis zu seinen Spielern aufbaut. Seine Philosophie? Er steht nicht für einen bestimmten fußballerischen Stil, sondern ist eher wie ein Chamäleon, das sich überall anpassen kann. So war es zumindest bei Chelsea, Real Madrid, Paris oder dem AC Mailand gewesen. Gerade mit den Mailändern prägte Ancelotti eine ganz eigene Ära, in der er auch mehrmals den FC Bayern schlug. Besonders präsent war den Bayern-Fans die Erinnerung an das Champions-League-Halbfinale 2014: Beim 4:0 in München habe Ancelotti Guardiola ausgecoacht, hieß es. Die Erwartungen an ihn waren erneut groß, aber längst nicht mit denen von 2013 zu vergleichen. Während Pep Guardiola nicht den besten Eindruck bei den Medien vor Ort hinterließ, waren die Journalisten vom lässigen Auftreten Ancelottis schnell beeindruckt. Er verstand das Spiel mit der Öffentlichkeit perfekt.

Besonders wichtig war dem Klub, dass der Italiener auch intern für Ruhe sorgte. Frei nach Franz Beckenbauer, der seine Spieler einst mit »geht's raus und spielt's Fußball« auf den Platz geschickt hatte, lockerte Ancelotti die Zügel. Er wusste, was die Spieler bereits zu leisten in der Lage waren, und konzentrierte sich darauf, diese Fähigkeiten Woche für Woche neu zu aktivieren.

Zu Beginn schien es so, als hätte Ancelotti eine Bestie von ihren Fesseln befreit. Nach dem furiosen Auftaktsieg gegen Werder Bremen nutzte auch Mehmet Scholl diese Metapher. »Carlo hat die Spieler freigelassen«, sagte der ehemalige Bayernspieler und damalige TV-Experte, dessen Kontakte zum FC Bayern bis heute ziemlich gut sind. Auch Rummenigge zog früh den Vergleich zwischen der Emotionalität Guardiolas und der Gelassenheit des neuen Trainers. Zwischen den Zeilen war klar zu lesen, dass der Kurs der Münchner weniger strikt wurde.

Den Spielern war durchaus anzumerken, dass das keine schlechte Idee war. Sie spielten in der Tat befreiter auf, wirkten weniger mechanisch. Guardiolas Grundprinzipien waren noch frisch in den Köpfen, aber dank der mentalen Entlastung gelang es ihnen, gerade in der Anfangsphase der Saison groß aufzuspielen: 6:0 gegen Werder Bremen, 2:0 auf Schalke, 3:0 gegen Hertha, 5:0 in der Champions League gegen Rostow – der FC Bayern hatte nicht nur gute Ergebnisse vorzuweisen, sondern spielte phasenweise auch ansehnlichen Fußball.

Allerdings fehlte dem Bayern-Spiel nun die erdrückende Dominanz. Solange die Ergebnisse stimmten, wurde die Spielweise noch verteidigt. Als wir auf *Miasanrot.de* früh in der Saison anfingen, die fehlende Kreativität, den nicht ausreichend besetzten Zehner-Raum sowie die fehlende Struktur im Pressing zu kritisieren, erhielten wir viel Gegenwind. Immerhin waren die Bayern im Winter Tabellenführer, in allen Wettbewerben weiterhin vertreten – und Ancelotti eilte der Ruf voraus, seine Mannschaften in der Rückrunde rechtzeitig auf ein Top-Level bringen zu können. Der Optimismus war groß unter den Fans, dass der Kader diesmal in der entscheidenden Phase fit sein würde. Dann wäre die spielerisch durchwachsene Hinrunde schnell vergessen gewesen. Zumal 42 Punkte immer noch eine sehr gute Leistung waren und lediglich der hohe Anspruch an die Mannschaft dazu führte, dass es überhaupt Kritik gab. Denn wenn Guardiola irgendwo eine Messlatte gelegt hatte, die vermutlich weder Ancelotti noch irgendein anderer Trainer hätten überspringen können, dann war das im spielerischen und taktischen Bereich.

Schneller Niveau-Verlust

Tatsächlich bestätigte sich aber irgendwann die Tendenz, dass der FC Bayern an die Klasse der Vorjahre nicht mehr herankommen würde. In der Bundesliga hangelte man sich von Spiel zu Spiel, fuhr aber trotzdem »irgendwie« positive Ergebnisse ein. Am Ende erreichte man auch deshalb 82 Punkte, weil die Konkurrenz nicht in der Lage war, die Fehler und Schwächen der Münchner auszunutzen.

Auf der Website *understat.com* wird mit Expected Goals errechnet, wie viele Punkte bei einer Mannschaft am Ende der Saison zu erwarten gewesen wären. Expected Goals versucht, die Wertigkeit der Chancen auszurechnen. So hat ein Ball, den der Stürmer nur noch über die Linie tippen muss, wahrscheinlich einen Wert gegen 1, während ein Fernschuss von der Mittellinie sich eher der 0 nähern wird. Auf diese Weise soll eine realistische Aussage darüber getroffen werden, ob ein Team das Spiel aufgrund besserer Chancen, mehr Glück oder einer höheren Effizienz gewonnen hat.

Beispielsweise gewann der FC Bayern am vorletzten Spieltag der Saison 2015/16 noch unter Guardiola mit 2:1 in Ingolstadt, ließ aber einige Chancen zu, die einen anderen Spielverlauf möglich gemacht hätten. Expected Goals errechnete einen Wert von 1,94:2,28 für die Münchner. Ein 2:2 war also durchaus realistisch. Manchmal gibt es sogar noch größere Abweichungen. Wichtig ist auch zu erwähnen, dass dieses Modell seine Schwächen hat. So ist die Berechnung von Doppel- oder Dreifachchancen häufig problematisch, und auch die individuelle Klasse des Spielers spielt beispielsweise keine Rolle. Allerdings hilft es einem dabei, eigene Eindrücke zu bestätigen oder zu hinterfragen. Ein Vergleich der Spielzeiten 2015/16 und 2016/17 bietet sich hier also vor allem deshalb an, weil die Werte einen subjektiven Eindruck unterstreichen: Guardiolas Mannschaft holte in seinem letzten Jahr als Trainer 88 Punkte. *Understat* kam auf 77,97 Expected Points – das ist, wenn man die typischen Schwankungen einer Saison bedenkt, ein ziemlich guter Wert. Carlo Ancelotti holte mit den Bayern in seinem ersten Jahr die besagten 82 Punkte und »nur« 73,76 erwartete Punkte. Vergleicht man die beiden Spielzeiten, fällt vor allem der große Unterschied bei den erwarteten Gegentoren auf: Unter Guardiola erreichte die Mannschaft einen Wert von 20,79, während er nur ein Jahr später unter Ancelotti auf 27,04 anwuchs.

Der subjektive Eindruck, dass die Bayern unter Carlo Ancelotti eine große Instabilität hatten, lässt sich also durchaus belegen. Doch was genau war in nur einem Jahr passiert?

Den Bayern fehlte es plötzlich an Sicherheit. Früh in der Saison sagte Philipp Lahm, dass das Passspiel nicht mehr so gut sei. Nicht, weil die Mannschaft es verlernt hätte, sondern weil sie sich an die neuen Positionierungen gewöhnen müsse.

Ancelotti setzte in der Anfangszeit auf ein klar strukturiertes 4-3-3. Das Dreiermittelfeld hatte dabei eine 1-2-Staffelung, die beiden Flügelstürmer rückten ein. Dadurch entstand das sogenannte Ancelotti-V (siehe Abb. 10). Ziel war es, die Halbräume noch stärker zu bespielen. Da das »V« aber dem »U« sehr ähnlich ist, gab es auch große Gefahren.

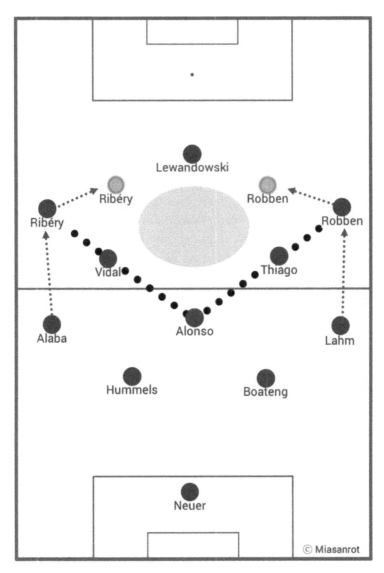

Abb. 10 *Das Ancelotti-V: Mit breiten Achtern sollten die Halbräume überladen werden. Die offensiven Außen rückten meist ein, die Außenverteidiger schoben nach. Der Zehner-Raum verwaiste dadurch oft.*

Das »U« wurde oft mit van Gaal in Verbindung gebracht. Es soll für einen berechenbaren Spielaufbau stehen, bei dem die Abwehrreihe direkt auf die Außenbahnen spielt. Die Wege in die Mitte bleiben dann verschlossen, weil der Gegner die Flügel gut aus dem Zentrum heraus verteidigen kann. Speziell Guardiola forderte deshalb einen Spielaufbau über die Mitte oder die Halbräume.

Unter Ancelotti tendierte die Mannschaft zu zwei Problemen. Einerseits war der Spielaufbau relativ früh zu breit. Andererseits war der Zehner-Raum viel zu selten besetzt. Dieser wurde allenfalls als Ausweichraum für Lewandowski genutzt, aber viele Pässe gelangte nicht dorthin. Durch die Verwaisung dieses Raumes wurde das erste Problem noch weiter verstärkt. Für gegnerische Mannschaften gab es immer wieder Phasen, in denen sie die nicht besetzten Räume der Bayern ausnutzten. Gerade gegen kompakte Teams ging den Münchnern die Kreativität ab. Es schien, als würde die Mannschaft unter Ancelotti weiterhin den gleichen Fußball spielen wollen, den sie in den Jahren zuvor gespielt hatte. Das gelang aber nicht, weil die taktischen Mittel fehlten. Für viele war es unbegreiflich, dass ein so erfolgreicher Trainer offenbar so wenige Ideen mitbrachte, um das eigene Spiel zu verbessern. Zwar stellte er irgendwann mal auf ein 4-2-3-1 um, damit der Zehner-Raum zumindest etwas häufiger besetzt ist, doch wirklich größere Anpassungen gab es nicht. Dabei wäre ein Umdenken im Lauf der Saison zwingend notwendig gewesen. Die Hoffnung, dass der Kader dafür im April oder Mai in guter Verfassung wäre, zerschlug sich nämlich sehr schnell.

Aufgrund des zweiten Platzes in der Gruppenphase der Champions League trafen die Bayern bereits im Viertelfinale auf Real Madrid. In beiden Spielen zeigte die Mannschaft eine ansprechende Leistung, was angesichts der vorangegangenen Wochen, in denen man nicht zwingend das Gefühl hatte, dass sie in den entscheidenden

Spielen der Königsklasse konkurrenzfähig sein würde, nicht selbstverständlich war.

In der ersten Halbzeit in München spielten beide Mannschaften auf Augenhöhe – mit leichten Vorteilen für die Bayern. Damit hatte ich vorher nicht gerechnet. Nach einer Standardsituation war es Vidal, der die Führung besorgte. Zwischendrin gab es allerdings eine kleine Phase, in der die Kontrolle verloren ging. Dort zeigten sich wieder diese Balanceprobleme. Durch einen verschossenen Elfmeter und eine riesige Kopfballchance hätte Vidal aber auch das zweite oder dritte Tor nachlegen können. Es war ein packendes Fußballspiel, in dem der Mannschaft nicht viel vorzuwerfen war.

Dann folgte allerdings eine zweite Halbzeit, die einem Zusammenbruch gleichkam. Begünstigt wurde dieser vom frühen Ronaldo-Treffer und einer unnötigen gelb-roten Karte, die sich Martínez für ein billiges Foul an der Mittellinie abholte. Fortan fehlten den Bayern nicht nur die Lösungen, sondern auch die richtigen Impulse von außen. Ancelotti reagierte, indem er Bernat für Alonso brachte. Damit signalisierte er nicht nur, dass das Ergebnis über die Zeit gebracht werden sollte, sondern er nahm seiner Mannschaft auch jegliche Möglichkeit, dem spielstarken Zentrum des Gegners um Kroos und Modrić noch etwas entgegenzusetzen. Das Tor zum 1:2 durch Cristiano Ronaldo war vor diesem Hintergrund nur folgerichtig. In der Schlussphase hatte Real Madrid 13 Torschüsse, während den Bayern lediglich zwei ungefährliche Abschlüsse gelangen. Die Münchner konnten sich glücklich schätzen, dieses Spiel nicht höher verloren zu haben.

13 zu 23 Abschlüsse, 1 zu 4 Großchancen: Das war trotz gutem Start ein Abend, der den Münchnern alle Schwächen offenbarte. Physisch waren sie nicht fit genug, spielerisch fehlten ihnen die Ideen. Zumindest passte die Mentalität.

Auch in Madrid gab sich der FC Bayern zu keiner Zeit geschlagen. Es sollte ein großer Kampf werden: Nach 90 Minuten stand es

2:1 für den FC Bayern. In Madrid zu gewinnen, erfordert eine gute Mischung aus Glück und sehr hoher Qualität. Beides hatte Ancelottis Mannschaft an diesem Abend. Allein die Leistung der beiden Innenverteidiger Boateng und Hummels lässt sich nicht genug loben. Sie gewannen viele wichtige Zweikämpfe und verhinderten somit einen neuerlichen Einbruch. Besonders bitter war an diesem Abend aber die Schiedsrichter-Leistung. Cüneyt Çakır hatte (vorsichtig formuliert) keinen guten Abend. Casemiro hätte er früh vom Platz schicken müssen, Vidals Platzverweis kurz vor der Verlängerung war keiner. Allerdings hatte sich der Chilene ihn selbst zuzuschreiben: Wieder war es eine Spielfeldzone, in der ein überhartes Tackling nicht nötig gewesen wäre. Vidal setzte trotzdem zur Grätsche an. Schon zu Beginn der zweiten Halbzeit »bettelte« er mehrfach um eine gelb-rote Karte. Ancelotti hätte die Situation früher wahrnehmen und seinen Spieler schützen können. Doch es kam, wie es an diesem Abend offenbar kommen musste: Vidal flog vom Platz, und in der Verlängerung offenbarte sich erneut ein großer Mangel in der physischen Leistungsfähigkeit der Bayern. Nach dem Platzverweis wechselte Ancelotti Joshua Kimmich für Robert Lewandowski ein: Wieder ein Wechsel, der schwer nachvollziehbar war. Denn dadurch gingen den Bayern auch nach vorne die Optionen aus. Real Madrid konnte das Duell in den verbleibenden 30 Minuten locker für sich entscheiden. Zwei weitere Ronaldo-Treffer und ein Tor von Marco Asensio machten das 4:2 perfekt.

So richtig einsehen wollten es die Bayern damals nicht, dass sie die Gründe für ihre Niederlage vor allem bei sich selbst zu suchen hatten. Rummenigge sprach von »Beschiss«, Vidal meinte Jahre später, dass ihn nur die Schiedsrichter-Leistungen von den Champions-League-Titeln getrennt hätten.

Es war kein ruhmreiches Bild, das der FC Bayern als Verlierer hinterließ. Bei aller berechtigten Kritik am Schiedsrichter waren es eben doch vor allem die eigenen Versäumnisse, die zum Ausscheiden geführt hatten. Vidals vergebene Großchancen im Hinspiel, die beiden wirklich unnötigen Tacklings, die zu Platzverweisen führten, sowie die mangelnde Fitness, die offensichtlich ein Resultat des zu laschen Trainings war ... Es gab so viele Ansätze, die es künftig zu analysieren galt. Ein besonders auffälliger Unterschied zu Real Madrid war schon allein die Breite des Kaders. Zidane hatte bei den Königlichen die Chance, von Spiel zu Spiel sehr stark rotieren zu können, ohne an Qualität zu verlieren. Asensio, Vázquez und Kovacic kamen gegen die Bayern von der Bank. Nicht eingesetzt wurden dabei Spieler wie James Rodríguez, Álvaro Morata und Danilo. Madrid war die Mannschaft mit der besseren Kontrolle im Mittelfeld und am Ende der verdiente Sieger, weil sie ihre Chancen zu nutzen verstanden. Die Bayern dagegen stellten sich selbst ein Bein, da es ihnen an Qualität und Fitness fehlte.

Das zeigte sich auch ein paar Wochen später im Halbfinale des DFB-Pokals gegen Borussia Dortmund noch einmal sehr deutlich. Gerade zu Beginn schien alles gut zu laufen. Die Bayern machten ein gutes Spiel, gingen trotz Rückstand mit einer 2:1-Führung in die Pause. Im Lauf der zweiten Halbzeit vollzog sich dann wieder ein Bruch im Spiel der Münchner. Dortmund war plötzlich die klar überlegene Mannschaft und erzielte innerhalb weniger Minuten zwei Tore.

Für Außenstehende war es nicht ganz einfach zu erklären, wie das passieren konnte. Wahrscheinlich wussten nicht einmal die Borussen, wie sie das Spiel gewannen. Doch sie zogen ins Pokalfinale ein – nicht der FC Bayern, der es bei 24 zu 11 Torschüssen nicht schaffte, das Finale in Berlin zu buchen.

Eine riesige Enttäuschung – vor allem auch für Philipp Lahm, der sich bestimmt ein anderes Ende seiner letzten Saison gewünscht hatte. Es gibt nicht wenige Stimmen im Umfeld, die davon ausgehen, dass er sich von einem anderen Trainer zu mindestens einem weiteren Jahr hätte überreden lassen. Doch das ist reine Spekulation. Als Lahm und Alonso sich in Madrid in die Augen blickten, wussten sie bereits, was da gerade passiert war. Ihr letztes Spiel in der Königsklasse. Verschenkt. Sie umarmten sich leidenschaftlich und versuchten anschließend, ihre jüngeren Mitspieler wieder aufzubauen. Auch mir kullerte mindestens eine Träne die Wange hinunter, denn gerade war etwas sehr Großes zu Ende gegangen …

Mit Ancelotti gelang den Bayern in der Saison 2016/17 der fünfte Meistertitel in Folge. Doch die Chemie zwischen dem Verein und dem Trainer stimmte einfach nicht, und so war Ancelottis Entlassung nur noch eine Frage der Zeit. Gerüchten zufolge wurde sogar darüber nachgedacht, den Italiener bereits im Sommer freizustellen. Die Entscheidung, Willy Sagnol ab der Saison 2017/18 als Co-Trainer zu installieren, war ein deutlicher Fingerzeig darauf, dass der Klub unzufrieden war. Bringen sollte diese Veränderung aber nichts mehr: Nach einem katastrophalen Champions-League-Auftritt in der französischen Hauptstadt, bei dem die Bayern mit 0:3 gegen Paris St.-Germain chancenlos untergingen, wurde Ancelotti entlassen.

Warum Ancelotti nicht passte

Carlo Ancelotti ist ein großer Trainer. Er gewann dreimal die Champions League, war italienischer, englischer, französischer und deutscher Meister, holte etliche Pokale und wurde zweimal zum Weltclubtrainer des Jahres gewählt. Seine bedeutendste Leistung als Trainer war es vielleicht, den AC Mailand in den Jahren 2001 bis 2009 zurück an die Spitze Europas zu führen. Allerdings hat sich der Fußball seitdem gewandelt. Er ist komplexer geworden. Auch die Erwartungshaltung bei den Top-Teams hat sich verändert. Deren Anspruch ist es, möglichst alle Titel zu gewinnen – dafür werden die Kader immer breiter.

Gerade auf nationaler Ebene hatte Ancelotti in der Vergangenheit häufig Probleme mit der Konstanz. Seine großen Erfolge erzielte er immer dann, wenn die Mischung stimmte: Dazu gehörten Spieler auf dem Zenit, eine gute Menschenführung und eine gewisse Lässigkeit. Das alles war den Bayern bekannt, als sie den vor seiner Trainerkarriere auch als Spieler auf nationaler und internationaler Ebene erfolgreichen Italiener für die Saison 2016/17 verpflichteten. Es war eine bewusste Entscheidung, jemanden zu holen, der auch für eine gewisse Entspannung im ganzen Verein sorgen konnte. Das funktionierte auch. Und doch hatte der neue Trainer schon bald mit einigen Problemen zu kämpfen.

Zunächst war die Unterforderung noch ein Genuss für einige Spieler. Gerade Freigeister wie Robben oder Ribéry fühlten sich tatsächlich befreit. Das zeigte sich nicht zuletzt an den Leistungen, die sie von Beginn an brachten.

In den ersten acht Pflichtspielen (ohne Supercup) kam Ribéry auf zehn direkte Torbeteiligungen. Arjen Robben erzielte ähnlich gute Werte. Zwar haben die beiden auch unter Guardiola gute Leistungen gebracht – aber unter Ancelotti wirkten sie zunächst etwas freier. Ihr Spiel erschien natürlicher.

Nur: Je länger die Saison wurde, umso deutlicher merkten die Spieler, dass sie nichts mehr dazulernten. Der Entwicklungsprozess war gestoppt, seit dem Saisonfinale unter Guardiola hatte man sich sogar eher zurückentwickelt. Das ging an den Spielern nicht spurlos vorbei. Erste Beschwerden, dass das Training zu lasch sei, machten die Runde. Fitnesstrainer Mauri rauchte sogar für alle sichtbar auf dem Trainingsgelände. Auch aus internen Kreisen gab es erste Kritik für das Trainerteam: für Ancelotti eine Situation, die er in seiner langen Karriere so noch nicht erlebt hatte.

Guardiolas Erbe anzutreten war für ihn eine große Herausforderung. Es zeigte sich, dass der Kontrast zwischen der von dem Katalanen akribisch betriebenen Verbesserung aller Details und einer gewissen Lässigkeit des Italieners im Großen und Ganzen letztlich zu krass war. Zwar folgte Ancelotti in Madrid schon einmal auf einen Trainer, José Mourinho, der von seinen Spielern höchste mentale Stärke einforderte, doch fand er dort einen Kader vor, der noch erfolgshungrig und erst auf dem Weg zu seinem Zenit war. In München arbeitete er dagegen mit Schlüsselspielern, die längst über ihren Zenit hinaus waren. Ancelotti hatte nicht nur die Aufgabe, endlich für die notwendige Durchschlagskraft in K.-o.-Spielen zu sorgen, sondern er musste gleichzeitig einen Übergang gestalten. Junge Spieler wie Kimmich oder Coman drängten in die Startelf, bekamen von ihm aber nicht genügend Chancen. Ancelotti ist kein Entwicklungstrainer. Vielleicht war er das nicht mal in Mailand gewesen, denn auch dort hatte er es vornehmlich mit Spielern zu tun, die in ihrer Entwicklung schon weit vorangeschritten waren.

Guardiola dagegen schaffte es mit seiner fordernden Art, den Leistungshöhepunkt von Ribéry, Robben, Lahm, Alonso und einigen anderen Spielern zu strecken, sie teilweise sogar noch etwas besser zu machen. Wer Guardiola an der Seitenlinie gewohnt war, konnte sich mit dem emotionslos wirkenden Auftreten Ancelottis dort nicht anfreunden: Regungslos sah der Italiener zu, wie die Spiele dahinplätscherten. Umstellungen kamen gar nicht oder zu spät. Er wollte Guardiolas Baumhaus instand halten, hatte aber nicht die richtigen Werkzeuge dafür.

Für den FC Bayern bedeutete das ein Desaster. Nach der krachenden Niederlage in Paris stand der Verein einen Monat nach Beginn der neuen Saison ohne Trainer da und musste blitzschnell eine Lösung finden, den Übergang erfolgreich zu gestalten.

Was tun?

Wenige Tage nach der Champions-League-Begegnung in Paris stand ein Bundesliga-Spiel in Berlin an, bei dem Willy Sagnol als Interimstrainer das Ruder übernehmen sollte. Im Berliner Olympiastadion habe ich schon die gruseligsten Kicks des FC Bayern erlebt. Darunter ein 0:0 bei Temperaturen unter dem Gefrierpunkt. Wer einmal im Herbst oder Winter im Berliner Olympiastadion war, der weiß, wie eiskalt der Wind durch das Marathontor zieht. Dementsprechend begeistert war ich, nicht ein einziges Tor gesehen zu haben. Doch dieser Auftritt der Bayern im Oktober 2017 sollte mich völlig fassungslos machen: Auf dem Platz stand eine völlig verunsicherte Mannschaft. Sie ging zwar mit 2:0 in Führung, ließ sich dann aber in wenigen Minuten das Spiel komplett aus der Hand nehmen. Positionsspiel, Intensität, Fitness, Körpersprache, Passspiel, Mut, Selbstbewusstsein – nichts davon war auch nur in Ansätzen zu sehen.

Bis auf die Tribüne spürte ich, wie kaputt die Mannschaft war, die bis vor kurzer Zeit noch herausragenden Fußball gespielt hat. Pep Guardiolas Erfolgsmaschine mochte vielleicht auf einer gefährlich hohen Temperatur gelaufen sein, die es zu kühlen galt. Aber unter seinem Nachfolger war sie so schlecht gepflegt worden, dass sie im Herbst 2017 einen Totalschaden bekam.

Der FC Bayern brauchte jetzt dringend einen Mann, der das Ganze reparieren konnte. Schaut man sich den Trainermarkt zu dieser Zeit an, gab es nicht viele Kandidaten. Thomas Tuchel wäre jemand gewesen, der Pep Guardiola ähnlich ist. Aber in München war man sich darüber einig, nach einer Zwischenlösung im doppelten Sinn zu suchen: Weder die akribisch-perfektionistische Art eines Guardiolas noch die von Laissez-faire geprägte Einstellung unter Ancelotti würden jetzt hilfreich sein. Im Idealfall brauchte man jemand, der den FC Bayern bereits kennt, der ein gesundes Maß aus forderndem Training und väterlicher Schulter bietet – und der im Moment vereinslos ist. Jemand zudem, der den Bayern mindestens bis zum nächsten Sommer Zeit verschaffen konnte, um über eine neue zukunftssichere Lösung nachzudenken.

Doch wer, bitte, sollte da Anfang Oktober zur Verfügung stehen?

Heynckes zum Vierten

Jupp Heynckes natürlich! Wie auch immer Uli Hoeneß das wieder hinbekommen hat – Jupp Heynckes wurde im Oktober 2017 zum vierten Mal Trainer des FC Bayern. Seine einzige Bedingung war: Peter Hermann solle aus Düsseldorf geholt werden, anderenfalls würde er es nicht machen. Gesagt, getan: Der FC Bayern holte sich Hermann (sowie ganz viel Groll aus Düsseldorf), und gegen Freiburg saß Heynckes bereits wieder auf der Bank.

Dass nun ausgerechnet Jupp Heynckes nochmals an die Säbener Straße kam, um den Übergang von der Generation Lahmsteiger in eine neue Ära zu moderieren, hatte seinen ganz eigenen Reiz: Der Mann, der überhaupt erst für den emotionalen Höhepunkt dieser Generation sorgte, sollte nun dafür verantwortlich sein, einem neuen Trainer den Weg zu ebnen. Und: Der damals 72-Jährige schaffte es in einem unfassbaren Tempo, die Mannschaft wieder an ihre alte Tugenden zu erinnern. Die Linien für das Positionsspiel waren auf dem Trainingsplatz zurück, Hermann korrigierte wieder akribisch jedes Detail, und das Pressing hatte plötzlich wieder Struktur und Flexibilität. Die Mannschaft erinnerte sich, wie sie sich mit Überzahlsituationen durch die Halbräume der Stadien kombinieren konnte und hatte auf einmal wieder ein ganz anderes Tempo im Spiel. Der Zehner-Raum wurde nun wieder flexibel besetzt, und die Achter waren in der Lage, mit den Offensivspielern Dreiecke zu bilden. Das reichte zwar noch nicht zu einem ähnlichen Feuerwerk, wie die Bayern es zuletzt unter Heynckes abgebrannt hatten – aber dafür, die Saison den Umständen entsprechend richtig gut zu beenden.

Allerdings gelang es den Münchnern selbst unter Heynckes nicht immer, an die absolute Leistungsgrenze zu gehen. Dafür fehlten Nuancen. Vielleicht täuschte der Eindruck auch, weil die Bayern in der Bundesliga nicht immer gefordert waren.

Umso beeindruckender war dann die Leistung gegen Real Madrid im Champions-League-Halbfinale. Als Joshua Kimmich in der 28. Minute das 1:0 erzielte, war ich so emotionalisiert wie lange nicht mehr. In der Anfangsphase war das Spiel noch sehr ausgeglichen, dann schien Real Madrid die Oberhand zu gewinnen. Plötzlich änderte sich das Blatt aber wieder zugunsten der Bayern. Nun waren sie das bessere Team. In diese Druckphase hätte, wie im Vorjahr, ein zweites Tor gutgetan. Doch das Schicksal war offenbar dagegen: Kurz vor der Pause besorgte Marcelo den Ausgleich – genauso gegen den Trend des Spiels wie beim Führungstreffer der Bayern. In der zweiten Halbzeit spielten dann fast nur noch die Roten. Heynckes hatte Zidanes Plan endgültig entschlüsselt und sein Team clever angepasst. Madrid versuchte, die Halbräume gegen den Ball mit eingerückten Flügelspielern so zuzustellen, dass die Bayern dort in Pressingfallen gelockt werden sollten. Das gelang zu Beginn ganz gut. Heynckes schickte aber immer wieder James in die Zwischenräume, der klug genug war, um Verbindungen zu den Aufbauspielern zu erzeugen. Dadurch knackten die Bayern das Pressing der Königlichen und erlangten im Lauf des Spiels die Kontrolle. Umso ärgerlicher war es, dass die Gäste wieder aus dem Nichts ein Tor erzielten. Und so kam es letztendlich zu einer 1:2-Niederlage im Hinspiel, die diesmal sogar noch weniger nötig gewesen wäre als im Vorjahr. Der Mannschaft war nicht viel vorzuwerfen, aber es blieb die Frage, warum sie in den wichtigen Momenten anfällig für kleine Ungenauigkeiten war. Die Chancenverwertung, kurze Blackouts bei den Gegentoren und die fehlende Abgezocktheit waren hauptverantwortlich dafür, dass der FC Bayern in den Jahren 2014 bis 2018 in keinem Champions-League-Finale mehr stand.

Im Rückspiel wurde das noch deutlicher. Die Münchner hatten in Madrid 22 zu 9 Abschlüsse, kamen aber nicht über ein 2:2 hinaus. Selbst Toni Kroos konnte sich am Ende der beiden Partien nicht erklären, warum Real Madrid ins Finale einzog. Eine derart dominante Leistung gab es bisher selten von einer Mannschaft im Stadion der Königlichen zu beobachten. Die deutlichste Erklärung für das Ausscheiden ist jenes Unvermögen, das die Bayern auch im Pokalfinale zeigten. Gegen Eintracht Frankfurt machten sie 90 Minuten lang das Spiel, ließen große Chancen aus und verloren in wenigen Momenten den nächsten Pokal. Die fehlende Konstanz und das Auslassen eigener Möglichkeiten kosteten Jupp Heynckes den großen Abschied, den er verdient gehabt hätte. Er selbst konnte am wenigsten dafür, doch die Enttäuschung darüber, dass am Ende mit der nationalen Meisterschaft wieder »nur« ein Titel blieb, war deutlich zu spüren. So ist die Erwartungshaltung in München eben: hoch, höher, am höchsten. Das musste auch Joshua Kimmich erst noch lernen. Als er im Jahr 2015 zu den Bayern kam, wunderte er sich darüber, dass hohe Siege in der Kabine nicht gefeiert wurden. Daraufhin nahm Thomas Müller den Neuzugang zur Seite und erklärte ihm, dass man in München nicht gewinnen würde, um sich darüber zu freuen. Siege hätten einzig und allein den Zweck, dass man seine begrenzte Freizeit in Ruhe verbringen könne, ohne sich Gedanken machen zu müssen.

Einerseits ist es traurig, dass der Erfolgsdruck in München mittlerweile so hoch ist, dass Siege gar nicht mehr richtig genossen werden können. Andererseits macht genau das die Stärke des FC Bayern aus. Dort schaffen es nur solche Spieler, die auch mental dazu in der Lage sind, mit dem hohen Erfolgsdruck fertig zu werden.

Jupp Heynckes hätte sich schon allein wegen des Triples eine Statue an der Säbener Straße verdient. Doch was er 2017 und 2018 aus der Mannschaft machte, bewies seine enorme Klasse als Trainer und Mensch vielleicht noch mehr. Beim FC Bayern wuchs die Überzeugung, dass man einen ähnlichen Trainer für die Zukunft brauchen würde. Deshalb hing Hoeneß auch so lange an der Option fest, dass Heynckes vielleicht doch noch ein weiteres Jahr bleiben würde. Am Ende hatte er sich so sehr auf diesen Wunschgedanken versteift, dass ihm beinahe die Optionen ausgegangen wären. Tuchel und Nagelsmann hatten sich beispielsweise schon für andere Klubs entschieden, wobei Tuchel auch nicht zu den Vorstellungen des Klubs gepasst hätte: Wie Guardiola verlangt auch er mental sehr viel von seinen Spielern, in der Menschenführung werden ihm gelegentlich Defizite nachgesagt, die vielleicht den Ausschlag dafür gaben, dass der FC Bayern so lange zögerte. Wer weiß, vielleicht wäre Tuchel ja ein zweiter van Gaal geworden: Immerhin ist er bekannt dafür, auch unpopuläre Entscheidungen zu treffen – seine unbequeme Art hätte dem Klub vielleicht helfen können. Die Bayern suchten aber eher nach einer Mischung aus Guardiola und Ancelotti, wie sie Heynckes verkörperte. Darüber hinaus setzte man alles daran, Peter Hermann als Co-Trainer in München zu halten. Sein fachlicher Input sollte dem neuen Trainer helfen, die Spielphilosophie des Klubs zu erhalten. Zu Beginn der neuen Saison wurde dann verkündet, dass Peter Hermann weiter beim FC Bayern bleiben würde.

Kapitel 5: Der Übergang

Eine einmalige Dekade

Am 28. August 2018 war ich mal wieder in einem ICE auf dem Weg nach München. Rund sechs Jahre war die bittere Niederlage gegen Chelsea nun her. Da ich nicht oft die Möglichkeit habe, den FC Bayern in seiner Heimatstadt zu besuchen, erinnere ich mich auf den wenigen Reisen oft an diesen Tag zurück. Am Abend stand mal wieder ein wichtiges Spiel an. Das Ergebnis würde dabei aber völlig egal sein: Chicago Fire war zu Gast in der Allianz Arena – jener Klub, bei dem Bastian Schweinsteiger seine Karriere ausklingen lässt.

Philipp Lahm, den *Die Zeit* zum Karriereende zu den drei bedeutendsten deutschen Fußballern aller Zeiten zählte (neben Fritz Walter und Franz Beckenbauer), hatte bereits im Jahr zuvor bei der Meisterschaftsfeier auf dem Rathausbalkon am Münchner Marienplatz Abschiedstränen vergossen – als seine Mannschaftskollegen zusammen mit den Fans Rainhard Fendrichs Ballade »Weus'd a Herz hast wia a Bergwerk« sangen, hatte selbst ihn, der sonst seine Gefühle nicht gern zu Markte trägt, die Rührung übermannt. Und nun, drei Jahre nach seinem Wechsel ins Land der im Fußball noch recht begrenzten Möglichkeiten, bekam Bastian Schweinsteiger sein Abschiedsspiel. Das würde mit Sicherheit sehr emotional werden, das stand fest ...

Als ich am Münchner Hauptbahnhof ankam und gleich darauf durch die Stadt ging, fühlte ich mich ins Jahr 2012 zurückversetzt. Überall sah ich Fans mit Bayern-Trikots, die Sonne schien, die Vorfreude aufs Spiel war überall spürbar.

Ich lief durch das Glockenbachviertel zum Gärtnerplatz – einer der Lieblingsorte des Fußballgotts – und traf dort viele Fans, die mir von ihren Lieblingsmomenten mit Bastian Schweinsteiger erzählten. Die diversen Frisuren, das Bad mit seiner Cousine im Pool des FC Bayern, die Flausen im Kopf, das drohende Mittelmaß, der Reifeprozess, die Rückschläge, die großen Erfolge – es gibt viele Geschichten über ihn, aber die mit Abstand besten hört man von seinen Münchner Fans: Für sie war Schweinsteiger immer einer von ihnen – ein Superstar zum Anfassen, ein Kind ihrer Stadt, auch wenn er im bayerischen Alpenvorland, in Kolbermoor, geboren wurde. Traf man ihn im Supermarkt, gab es einen freundlichen Gruß, und dann ging jeder seiner Wege.

Mit seinen Fans sprach ich auch über die vorangegangene Epoche. Wer noch jünger ist als ich, für den ist der Anspruch des Vereins, neben dem Meistertitel immer mindestens noch einen Pokal zu holen, ganz normal. Ich habe aber zum Glück auch andere Zeiten erlebt: Der Fußball, der unter Felix Magath, Jürgen Klinsmann und phasenweise auch unter Ottmar Hitzfeld gespielt wurde, ist mit dem der letzten Jahre nicht zu vergleichen. Damals war das Spiel noch viel stärker auf die individuelle Klasse der Kicker ausgelegt. Finanziell war der FC Bayern zwar schon damals seiner nationalen Konkurrenz enteilt. Aber damals fehlte es noch an der konzeptionellen Dominanz auf fußballerischer Ebene, weshalb auch Vereine wie Bremen, Stuttgart oder Wolfsburg Meister werden konnten. Alles fiel oder stand mit der Form der Einzelspieler.

Mit van Gaal nahm dann eine damals kaum vorstellbare Erfolgsgeschichte ihren Lauf. Mit Heynckes, Sammer, Reschke, Guardiola, dem Nachwuchsleistungszentrum und einigen anderen Entscheidungen folgten viele weitere richtige Schritte, die auf der Initialzündung van Gaals aufbauten. Der Höhepunkt war dann bislang die Generation Lahmsteiger, die sich mit dem Triple die Krone aufsetzte: In über 118 Jahren Klubgeschichte gelang es keiner anderen Bayern-Mannschaft, in einer Saison einen solchen Dreifachsieg zu holen. Vielleicht wird es wieder über 100 Jahre lang dauern, bis der FC Bayern noch einmal ein Triple gewinnt. Vielleicht wird es niemals wieder gelingen. Mental, physisch und taktisch war das eine herausragende Leistung. Sie resultierte aus vielen Rückschlägen, einem langen Lernprozess und einem großen Zusammenhalt. Sie resultierte aber auch aus Zufällen, die die Geschichte positiv beeinflussten: Wo wäre der FC Bayern heute, wenn er 2009 in der Gruppenphase der Königsklasse gegen Juventus Turin ausgeschieden wäre? Was wäre passiert, wenn das Champions-League-Finale 2013 in Nuancen anders verlaufen wäre und Borussia Dortmund den Münchnern einen mentalen Schlag verpasst hätte, an dem sie vielleicht endgültig zerbrochen wären?

Die Selbstverständlichkeit, mit der man in München Titel gewinnt, hat wenig mit Zufällen und viel mit harter Arbeit zu tun. Zwischen den Jahren 2009 und 2016 durchlief der FC Bayern einen Prozess, der für historische Siege und möglicherweise ewige Rekorde sorgte – vor allem aber für einen wunderschönen Fußball. Damit wurde eine Basis für die Zukunft gelegt, von der der Klub bis heute profitiert. Aktuell stehen die Münchner bei sechs Meisterschaften in Folge. Doch so groß der Abstand zwischen der Liga und dem FC Bayern auch geworden ist, ein Selbstläufer ist auch dieser Titel nicht. Das zeigten nicht zuletzt die eher holprigen Starts in die Saisons 2017/18 und 2018/19.

Als Schweinsteiger in der zweiten Halbzeit seines Abschiedsspiels mit seinen alten Teamkollegen zusammenspielte, wurde mir die Besonderheit dieser 2013er-Triple-Mannschaft so richtig bewusst. Sie verstanden sich sofort wieder blind, veralberten sich gegenseitig und hatten einfach Spaß zusammen – das Band, das Jupp Heynckes im Jahr 2012 geschnürt hatte, bewirkte den Zusammenhalt, der das Triple 2013 erst ermöglichte. Und dieses Band war auch jetzt bei Schweinsteigers Abschiedsspiel im Jahr 2018 immer noch zu erkennen. An diesem Abend erlebte man den FC Bayern als große Einheit – wie eine Familie, die in den letzten fast 20 Jahren gemeinsam viel durchmachen musste.

Das schließt auch die Fans ein, denen Schweinsteiger nach dem Abpfiff überlassen wurde: Alle Augen waren nun auf ihn gerichtet. Während seiner Ehrenrunde schossen mir Tränen in die Augen. Als Schweinsteiger die selbstgemachte Fahne der Südkurve schwenkte, die ihn jubelnd mit dem Champions-League-Pokal zeigte, begriff ich vielleicht erst wirklich, dass gerade eine Ära ganz offiziell zu Ende ging.

Vielleicht wird man die Errungenschaften der Generation Lahmsteiger erst dann richtig zu würdigen wissen, wenn der FC Bayern mal wieder wirklich schlechte Zeiten erlebt, die nicht den Luxusproblemen der Moderne (»nur« ein Titel?) gleichen. Ob es dazu in naher Zukunft kommt, liegt auch daran, wie Uli Hoeneß und Karl-Heinz Rummenigge ihren Abschied und den Übergang in eine neue Ära gestalten können. Im Grunde ist die Basis, die seit 2009 gelegt wurde, viel zu gut, um in eine ähnliche Ausganslage zu rutschen, wie sie der Klub zwischen 2007 und 2009 hatte. Das neue Nachwuchsleistungszentrum, eine auf Dominanz ausgelegte Vorstellung von Fußball, die vielen Erfahrungen aus den letzten zehn Jahren, der erarbeitete Vorsprung auf nationaler Ebene – eigentlich kann es nicht so schnell bergab gehen. Eigentlich: Denn das große Erbe muss gepflegt werden. Neue Protagonisten müssen sich hervortun und eine neue Spielergeneration entstehen. Für die Fans des FC Bayern bedeutet der Übergang, dass sie eine historische Dekade hinter sich und eine sehr spannende Zeit vor sich haben. Im Jahr 2001 dachte man schließlich auch, dass der FC Bayern sich an Europas Spitze etabliert hätte. Doch es folgte eine lange Durststrecke.

Alles auf Neuanfang?

Der 2. Juli 2018 war ein wichtiger Tag für den FC Bayern. Es war der Tag, an dem der Klub Niko Kovač der versammelten Presse präsentierte. Von Hoeneß und Rummenigge war an diesem Tag nichts zu sehen. Sie hielten sich bewusst zurück, überließen die Aufgabe dem neuen Sportdirektor Hasan Salihamidžić, der bereits im Vorjahr geholt worden war, um Ancelotti das Teammanagement zu vereinfachen und den Bayern-Bossen wichtige Aufgaben abzunehmen.

Beide, Kovač wie Salihamidžić, sind Ex-Spieler des Klubs, beide sollen dessen zukünftiges Gesicht prägen. War das Fehlen von Hoeneß und Rummenigge bei der Kovač-Vorstellung ein erstes Anzeichen dafür, dass sie ihren Rückzug vorbereiten? Mitnichten. In den folgenden Wochen wurden die Bayern-Fans noch oft genug mit öffentlichen Auftritten der Bosse konfrontiert. Trotzdem war diese erste Pressekonferenz des neuen Trainers ein kleiner Fingerzeig.

Seit 2016 hatte man das Gefühl, dass der Klub kontinuierlich an Niveau verlor. Taktisch und fußballerisch fehlten Tempo, Flexibilität und Kontinuität. Das lag nicht zuletzt am Alter der Schlüsselfiguren. Robben und Ribéry spielten viel, aber selten so überragend wie zu ihren besten Zeiten. Schon unter Guardiola verpflichtete man

Douglas Costa und Kingsley Coman, um die Zeit nach »Robbery« vorzubereiten. Wirklich gelungen war das nur mit Coman. Der Franzose entwickelte sich in den letzten Jahren zum besten Flügelspieler des Kaders, war aber leider auch häufig verletzt. Costa konnte den entscheidenden Schritt nicht machen und wechselte deshalb zu Juventus Turin. So blieb weiterhin viel an »Robbery« hängen. Bereits im Lauf der Saison 2017/18 rumorte es in der Gerüchteküche, dass der FC Bayern den Abschied der beiden Legenden vorbereiten würde. Aber dann verlängerte man mit beiden um ein weiteres Jahr, was für die Saison 2018/19 zur Folge hatte, dass erneut ein Trainer Mittel und Lösungen finden musste, um den Leistungsabfall des alternden Kaders aufzufangen. Aufgrund der Verletzungsanfälligkeit von Coman und der Neuverpflichtung Serge Gnabry bedeutete das ein großes Risiko für den FC Bayern. Sie schenkten damit ihren jungen Spielern viel Vertrauen und waren offenbar davon überzeugt, dass die Mischung aus Erfahrung und Talenten trotz hohem Durchschnittsalter so gut sei, dass sich die jüngere Generation im Windschatten der Legenden profilieren könne. Doch es war auch ein Schritt, der den immensen Ansprüchen des Klubs nicht gerecht wird. Auf der einen Seite möchte der FC Bayern jeden Titel gewinnen, auf der anderen Seite der familiäre Klub sein, der seinen Legenden einen möglichst romantischen Abschied ermöglicht. Das gleicht einem Balanceakt auf dem Hochseil. Und je mehr Zeit vergeht, umso mehr droht ein Sturz in die Tiefe.

Noch während der Vertragsgespräche teilte man Spielern wie Ribéry und Robben mit, dass sie sich dem Übergang unterzuordnen hätten. Ihre Qualität als Führungsspieler war gefragt, ihr Ego musste hintangestellt werden. In der Theorie war die Entscheidung des FC Bayern für Niko Kovač deshalb nachvollziehbar. Der gebürtige Berliner, der zuletzt im Mai 2018 mit Eintracht Frankfurt den DFB-Pokal gewonnen hatte, verkörperte für die Münchner einen Mittelweg zwischen Pep Guardiolas und Carlo Ancelottis Trainingsauffassungen. Man erhoffte sich von ihm, dass er einerseits sehr viel von den Spielern einfordern würde, ihnen aber andererseits auch Entspannungsphasen und ein offenes Ohr anböte. Tatsächlich rechtfertigt Kovač viele seiner Entscheidungen in persönlichen Gesprächen mit den Spielern. Das ist ein großer Aufwand, sorgt aber für den Respekt, den er von seinem Team benötigt.

Kovač hat auch aus seinen negativen Erfahrungen gelernt. Mit der kroatischen Nationalmannschaft, die er in den Jahren 2013 bis 2015 trainierte, ging er nicht unbedingt im Guten auseinander. Dort führte das ständige Einfordern von Mentalität und Laufbereitschaft zu einer schnellen Abnutzung des Verhältnisses. Im taktisch-strategischen Bereich konnte er sich ab 2016 in Frankfurt weiterentwickeln. Trotzdem blieb das die entscheidende Frage: ob die taktisch-strategischen Fähigkeiten von Niko Kovač ausreichen würden. Zudem wusste er noch nicht, wie es ist, Woche für Woche nicht aus der Außenseiterposition wie in Frankfurt sondern aus der Position des Münchner Dauerfavoriten heraus zu agieren – und wie es ist, mit einem Kader voller Stars umzugehen. Dieses Risiko ging der FC Bayern ein.

Doch die Ausgangslage war gut. Das wusste auch Kovač: »Louis van Gaal hat einen Spielstil geprägt«, meinte der Trainer auf seiner ersten Pressekonferenz. »Den wollen wir weiterhin beibehalten. Das eine oder andere wollen wir modifizieren. Wir wollen aber auch andere Systeme zur Verfügung haben, um auf den Gegner reagieren zu können.« Damit definierte er nicht nur seine Aufgaben für die Zukunft, er zeigte darüber hinaus ein Bewusstsein dafür, welchen Prozess der FC Bayern bereits hinter sich hat. Dass er sich dabei nicht auf Pep Guardiola oder Jupp Heynckes bezog, sondern van Gaal nannte, ist deshalb umso bemerkenswerter. Niko Kovač reihte sich schon zu Beginn seiner Zeit in die Entwicklungslinie ein und unterstrich noch einmal, dass die Art und Weise, wie seine Vorgänger gearbeitet haben, eine wichtige Grundlage für seine Arbeit sein würden. Jeder dieser Trainer hinterließ dabei seine eigene Handschrift. Doch sie alle arbeiteten im Rahmen einer Strategie, die seit 2009 den Klub prägt – unabhängig davon, ob diese Strategie vom Klub durchgeplant war oder ob es die zufällige Aneinanderreihung richtiger Entscheidungen war.

Wie schwierig es ist, am Ende einer großen Ära die richtigen Weichen für die Zukunft zu stellen, zeigt nicht nur der holprige Start des FC Bayern in die Saison 2018/19. Auch Real Madrid und der FC Barcelona hatten mit einigen Problemen zu kämpfen: Alle drei Klubs, die den europäischen Fußball in den letzten Jahren dominierten, haben sich lange an ihre prägenden Figuren geklammert. Real Madrid war damit bis zuletzt noch sehr erfolgreich, aber alle drei Vereine wussten längst, dass sie nicht ewig vom Erbe einer großen Vergangenheit zehren können.

Bei den Bayern stehen zehn Spieler im Kader, die das Champions-League-Finale 2013 bestritten. Das ist ein außergewöhnlich hoher Wert. Viele von ihnen werden immer häufiger kritisiert. Bei der deutschen Nationalmannschaft zeigte sich während der WM 2018 und in den ersten Partien der UEFA Nations League, dass irgendwann ein Punkt kommt, an dem das Beharren auf die alten Muster, das Verweilen in den ausgetretenen Pfaden gefährlich wird. Auch beim FC Bayern wurde Niko Kovačs Stellung schneller in Frage gestellt, als man das bei seiner Vorstellung auf der Pressekonferenz im Juli 2018 gedacht hätte.

Start mit Hindernissen

Anfang September 2018, Samstag, 17.25 Uhr. Ich stehe auf, werfe mir mein Schweinsteiger-Trikot über, hole mir ein Getränk aus dem Kühlschrank und setzte mich wieder vor den Fernseher. Ich bin ein wenig aufgeregt. Der FC Bayern steht vor seinem vierten Pflichtspiel unter Niko Kovač – gegen den VfB Stuttgart. Mittlerweile kann der Trainer fast auf alle Spieler seines Kaders zurückgreifen. Leider nicht auf Kingsley Coman, der sich bereits im ersten Bundesliga-Spiel gegen die TSG Hoffenheim schwer verletzt hat. Da auch Serge Gnabry und James Rodríguez vorher verletzt waren und erst kürzlich wieder fit wurden, rechne ich mit Robben und Ribéry in der Startelf.

Viele Fans kritisieren, dass das vermeintlich Offensichtliche inzwischen eingetreten ist: Die Abhängigkeit von Robben und Ribéry ist schon früh in der Saison viel zu hoch. Positiv stimmt mich jedoch, dass Kovač die entstandene Unruhe anscheinend nicht nur intern, sondern auch in der Öffentlichkeit »wegmoderieren« konnte. Seine professionell-abgeklärte Art beruhigt das gesamte Umfeld des FC Bayern. Eigentlich sollte auch Salihamidžić für eine Beruhigung der Gemüter sorgen, doch der Sportdirektor scheint damit überfordert zu sein. Seine Außendarstellung leidet an Hektik und Unruhe, die er auch nach über einem Jahr nicht in den Griff bekommt. Umso wichtiger ist da jemand wie Niko Kovač, der vor Selbstvertrauen und Ruhe nur so zu strotzen scheint. Mit Robert Lewandowski sprach Kovač beispielsweise noch vor seinem Amtsantritt. Er ließ den Polen seine Wertschätzung wissen, weil er das für nötig hielt. Jeder Mensch brauche Anerkennung, sagte der Trainer später. Anscheinend gelang es ihm in nur wenigen Wochen, den Angreifer wieder voll und ganz für den FC Bayern zu begeistern. Wechselgerüchte verstummten, Lewandowski traf regelmäßig und ging selbst in schwierigen Spielen voran. Die Sorge, Kovač sei als Trainer eine Nummer zu klein für den FC Bayern, legte sich relativ schnell.

Meine Skepsis galt aber auch nicht der Persönlichkeit des Trainers, sondern der taktischen Entwicklung. Gegen Hoffenheim spielte die Mannschaft zwar eine beeindruckende erste Halbzeit, in der die Gäste sich auch über ein 2:0 oder 3:0 nicht hätten beschweren können. Aber nach der Coman-Verletzung war ein klarer Bruch zu spüren. Wie schon in den Champions-League-Spielen der beiden Jahre zuvor gegen Real Madrid wendete sich das Blatt mit nur einer einzigen Situation. Hoffenheim kam stärker aus der Kabine, erzielte sogar den Ausgleich. Kovač reagierte immerhin und brachte Leon Goretzka. Fortan waren die Münchner wieder besser im Spiel. Der Trainer versuchte, von der Seitenlinie aus Einfluss zu nehmen. Während Ancelotti in seiner Zeit in München meist nur auf seinem Kaugummi rumkaute und das Geschehen beobachtete, war Kovač sehr aktiv. Am Ende war zwar beim 3:1-Sieg der Bayern auch Glück mit im Spiel, den Erfolg hatte sich die Mannschaft aber dennoch verdient.

Jetzt also geht es gegen den VfB und damit gegen eine gefährliche Kontermannschaft. Der FC Bayern spielt von Beginn an sehr dominant und konsequent. Bis auf ein paar einfache Ballverluste in der Anfangsviertelstunde gibt es wenig auszusetzen. Zu Beginn fehlen zwar die Chancen, aber Kovačs Spielidee wird nun deutlich erkennbar. Die Achter stehen sehr hoch, dadurch sind die Passwege weit. Einerseits entsteht dadurch eine gute Besetzung des letzten Drittels, andererseits ist das Risiko sehr hoch. In der zweiten Halbzeit passt Kovač das Ganze deshalb noch ein bisschen an.

Die Räume hinter den hochschiebenden Achtern bieten den Stuttgartern die Möglichkeit für Gegenstöße. Das gelingt ihnen auch ein- oder zweimal, doch ohne wirklich gefährlich zu werden. Kovač sieht hier dennoch das Potenzial für ein Gegentor, wenn seine

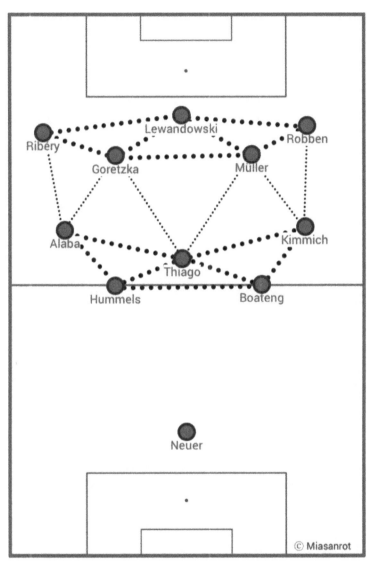

Abb. 11 *Bundesliga 2018/19, 2. Spieltag, VfB Stuttgart – FC Bayern: Kovač wusste mit seinen Ideen für das Positionsspiel zu überzeugen. Gerade gegen tiefstehende Mannschaft haben diese großes Potenzial.*

Mannschaft nur einen Augenblick unaufmerksam wäre. Also nutzt er einen alten Guardiola-Trick: Er lässt die Außenverteidiger in Ballbesitz etwas einrücken. Das führt zu einer besseren Absicherung der Achter und gibt Thiago sowie den beiden Innenverteidigern im Aufbauspiel mehr Optionen. Sie sind jetzt nicht mehr nur dazu gezwungen, die weiten Wege nach vorn zu bespielen, sondern haben auch mal kurze Anspielstationen. Kovač demonstriert damit eindrücklich, wie er auch taktisch auf ein Spiel Einfluss nehmen kann. Die zweite Halbzeit in Stuttgart legt eine erste hohe Messlatte. In mir kommt unweigerlich die Erinnerung an die Zeit unter Guardiola wieder hoch. Der FC Bayern kombiniert sicher, lässt dem Gegner bei Ballverlusten keine Räume zum Kontern und erzeugt vorne einen Druck, der zu vielen Chancen führt.

Selten spielte der FC Bayern in Stuttgart so souverän wie an diesem Abend. Ganz ohne Bedeutung konnte das nicht sein. Im Heimspiel gegen Leverkusen bestätigte sich dieser Eindruck. Die Bayern zeigten erneut eine souveräne Leistung. Die taktische Marschroute war ähnlich, aber auch die Form des Gegners war nicht überragend. Leverkusen, merklich verunsichert, hatte zu diesem Zeitpunkt noch keinen Punkt auf dem Konto.

Niko Kovačs taktische Ideen aber wurden immer deutlicher erkennbar: Während des geduldigen Aufbauspiels suchte man nach dem richtigen Moment für ein direktes Spiel in die Offensive. Deutlich wurde zudem, dass der Trainer auch vor schwierigen Personalentscheidungen nicht zurückschreckt: Martínez verlor seinen Startplatz vorübergehend, auch Ribéry und Robben wurden mehr rausrotiert, wenn die Alternativen im Kader es zuließen. Solche Härtefälle führen allerdings auch dazu, dass man sich als Trainer mal verspekulieren kann.

Wie am fünften Spieltag der Bundesliga-Saison. Für Kovač und die Bayern begannen jetzt die englischen Wochen. Wegen der Verletzungen von Rafinha, Coman und Tolisso waren seine Optionen begrenzt. Darüber hinaus hatten auch Goretzka und Boateng immer wieder mit Blessuren zu kämpfen. Nun kam es darauf an, die richtigen Kompromisse einzugehen.

Gegen Augsburg sollte eine starke Rotation für die notwendige Fitness im Auswärtsspiel in Berlin sorgen. Doch der Kovač-Plan ging nach hinten los. Spieler wie Sandro Wagner hatten noch nicht viele Minuten auf dem Platz absolviert und fremdelten merklich damit, sich von Anfang an in das Grundsystem zu integrieren, das Kovač vorgegeben hatte. Augsburg witterte die Chance, eine wenig eingespielte Bayern-Mannschaft zu überrumpeln. Sie standen den Münchnern früh auf den Füßen, spielten fast auf dem ganzen Platz mit Mannorientierungen. Kovač offenbarten sich an diesem Abend Grenzen. Seine Mannschaft machte trotzdem kein schlechtes Spiel. Nach ungefähr 20 Minuten war die neuformierte Bayern-Elf einigermaßen im Spiel. Das mannorientierte Pressing der Gäste wurde zwar mehrfach ausgehebelt, es wurden aber auch beste Chancen vergeben. So kam es, wie es manchmal eben kommt: Bayern verlor in der Schlussviertelstunde der Partie an Spannung und fühlte sich zu sicher. Augsburg kam quasi aus dem Nichts zum Ausgleich und klaute den Kovač-Bayern die ersten Punkte. Ein Szenario, das sich noch mehrfach wiederholen sollte.

Stichwort **Mannorientierungen:** *»Und wenn der aufs Klo geht, gehst du hinterher!« Das ist schon im Training der Kreisliga ein beliebter Satz. Er meint das, was allgemein als* **Manndeckung** *bekannt ist.* **Mannorientierungen** *bedeuten, dass die Spieler sich im Pressing am Gegenspieler orientieren.* **Raumorientierungen** *sind hingegen eine weitere Form des Pressings, bei dem sich die Spieler* *an Spielfeldzonen orientieren. Bei* **ballorientiertem Pressing** *entscheidet die Position des Balls darüber, wie verschoben wird.*

Denn es kam noch schlimmer. In Berlin verlor der Rekordmeister zum ersten Mal in dieser Saison. Hertha war die erste Mannschaft, die den FCB über fast 90 Minuten so gut verteidigte, dass es kaum große Chancen gab. Sie waren vielleicht sogar der erste richtige Gradmesser. Die hohen Achter erwiesen sich hier als schlecht ausbalanciertes Risiko. Auch die Berliner nutzten Mannorientierungen – allerdings nur vereinzelt. Gerade im Zentrum verfolgte man den Spielmacher Thiago und stellte seine Optionen im Halbraum zu. Bayern spielte deshalb viel zu früh auf die Außenbahnen. Die weiten Passwege wurden plötzlich zur Schwachstelle des Systems. Sanches und James ließen sich zu selten fallen, um den Spielaufbau zu stärken. Auch die einrückenden Außenverteidiger gab es nicht mehr so klar zu sehen – und so verwaiste die Zentrale.

Es hätte durchaus helfen können, wenn Kimmich und Alaba noch stärker in die Mitte gezogen wären, um einerseits die langen Pässe zu verkürzen und andererseits Gegenstöße abzusichern. Denn Hertha nutzte die Lücken im Halbraum eiskalt aus, kombinierte sich zwei-, dreimal gefährlich in den Münchner Strafraum und erzielte dabei zwei Tore. Durch eine leidenschaftliche Defensivleistung und die enorme Effizienz vor dem Tor gelang es ihnen, den FC Bayern zu besiegen. Die Münchner wirkten ihrerseits ideenlos. Es fehlten ein Plan B und die Optionen für den letzten Pass. Lewandowski rotierte oft aus dem Zentrum heraus – seine Position blieb dann unbesetzt. Die Dynamik eines Schweinsteigers wurde schmerzlich vermisst: Der Fußballgott liebte diese Vorstöße aus der Tiefe in den Strafraum. Tolisso und Goretzka können das auch, standen in Berlin aber nicht zur Verfügung.

Für Kovač kamen unangenehme Zeiten. Seine zunächst hochgelobte Moderation des Kaders wurde plötzlich in Frage gestellt. Es gebe einige Spieler, die unzufrieden mit ihren Spielzeiten seien, hieß es. Medial wurde die Situation des Rekordmeisters dazu genutzt, einige Störfeuer zu legen. Oft wird aus kleinen Geschichten dann eine ganz große Story gedreht. So hieß es beispielsweise, dass Hoeneß den Trainer jetzt überwachen würde, weil er aus seinem Bürofenster heraus das Training mit ansah. In der Öffentlichkeit ging Kovač mit diesen Vorwürfen weiterhin souverän um. Doch eines ist auch klar: Nicht alle dieser Behauptungen waren aus der Luft gegriffen. Die Luft in München wurde dicker. Bleibt der Erfolg mal über einen längeren Zeitraum aus, hilft auch der beste Moderator nicht. Erfolg ist die unabdingbare Komponente der Kadermoderation, und Trainer sind auch deshalb oft die ersten Verlierer einer Krise, weil die zuerst auf ihren eigenen Erfolg fokussierten Spieler im modernen Fußball immer mächtiger werden.

Das Haifischbecken FC Bayern hat es eben in sich. Schon bald wurden drängende Fragen gestellt: Ist Kovač wirklich einer wie Jupp Heynckes? Die goldene Mitte zwischen Guardiola und Ancelotti?

In den ersten Wochen unter Kovač sah es noch so aus, als würde sich der FC Bayern zu einer Mannschaft entwickeln, die sowohl mit als auch ohne Ball die Kontrolle behalten kann. Gerade bei ihrem Auftaktspiel der neuen Champions-League-Saison in Lissabon zeigten die Münchner eine starke Leistung. Mit nur 56 Prozent Ballbesitz hatte die Mannschaft zwar einen für sie untypischen Wert vorzuweisen. Trotzdem gab es zu keinem Zeitpunkt der Partie das Gefühl, dass der FCB nicht als Sieger vom Platz gehen würden. Die Bayern verteidigten ohne Ball kompakt, aggressiv und ließen damit Benfica wenig Chancen. Für Kovač war dieses 2:0 sein Debüt in der Champions League – für die Bayern der 15. Sieg in Folge in einem

Auftaktspiel dieses europäischen Wettbwerbs: Auch das zeigt, wie hoch die Erwartungen an den Trainer in München sind.

Im modernen Fußball neigt die öffentliche Diskussion aber oft zu sehr ins Extreme. Zwischen Schwarz und Weiß scheint man kaum Schattierungen zu kennen. So wurde zum Beispiel während der Weltmeisterschaft 2018 Ballbesitzfußball für tot erklärt und Konterfußball heroisiert. Die entsprechenden Schubladen kennt jeder: Guardiola ist ein Ballbesitz-Trainer, Atlético-Trainer Simeone steht für temporeichen Konterfußball. Beides ist auch nicht völlig aus der Luft gegriffen. Erinnern wir uns jedoch an das Vier-Phasen-Modell von Louis van Gaal, so wird deutlich, dass sich kein Trainer ausschließlich auf ein Extrem fokussieren sollte.

Louis van Gaal zufolge gibt es Ballbesitzphasen, Ballverluste, Verteidigungsphasen ohne Ball und Ballgewinne. Guardiola wäre nicht so erfolgreich, wenn er immer nur auf Ballbesitz setzen würde. Gegen Juventus gewann der FC Bayern 2016 im Rückspiel vor allem durch starke Gegenpressingmomente, die für Räume im Umschaltspiel sorgten. Guardiolas Fußball mag sich zwar auf die Positionierung in Ballbesitz konzentrieren, doch er versucht mit seinem Positionsspiel gleichzeitig, die anderen drei Schubladen ausreichend zu bedienen.

Nur Trainer, die in der Lage sind, alle vier Phasen des van Gaal'schen Modells in ihrer Philosophie entsprechend zu nutzen, sind im Fußball erfolgreich. Sie alle balancieren die Benutzung der vier Phasen aus und müssen für jede davon im Spielverlauf bereit sein. Es gibt nicht »lebendigen und toten«, sondern lediglich »guten und schlechten« Ballbesitz. Zielstrebigkeit, Tempo und Struktur entscheiden darüber, ob ein Team mit dem Ball umgehen kann oder nicht.

In seinen ersten sieben Pflichtspielen fand Kovač hier eine gute Balance. Und das ist wirklich die hohe Kunst. Einen Fokus setzte er dabei auf den Ballbesitz – eine Konsequenz aus der ständigen Favoritenrolle und der Vergangenheit des Klubs. Er setzte aber auch auf defensive Stabilität, Konterabsicherung und variables Pressing: weil das die Elemente sind, die es braucht, um Spiele zu kontrollieren.

Genau hier stieß Niko Kovač allerdings schnell an Grenzen. Als sich die Gegner in der Bundesliga plötzlich mehr zutrauten und das Aufbauspiel der Bayern unter Druck setzten, wurden die weiten Passwege in die Spitze zum Nachteil. Das führte zwangsweise zu Ballverlusten. Am zweiten Spieltag der Champions-League-Gruppenphase zeigte sich zudem, dass ein zu schnelles Spiel in die Tiefe auch das eigene Gegenpressing schwächen kann. Die Lücke zwischen der Defensive und dem Angriff konnte nicht mehr schnell genug geschlossen werden. Plötzlich entstand eine Dynamik, die die Mannschaft nicht mehr kontrollieren konnte. Kontrollverlust ist der Anfang vom Ende einer jeden erfolgreichen Mannschaft.

Gegen Ajax Amsterdam zeigten die Bayern unter Niko Kovač eine wirklich schwache Leistung. In den Spielen gegen Augsburg und Hertha hatte der Trainer erkannt, dass er die hohen Achter auflösen und das Mittelfeld ausbalancieren musste. Deshalb stellte er nun Javi Martínez auf die Sechs und Thiago an seine Seite. Thiago sah sich wegen der technischen und strategischen Schwächen seines Landsmannes dazu gezwungen, weiterhin wie ein Sechser das Spiel aufzuziehen, Martínez hing dadurch in der Luft: In Ballbesitz war seine Rolle quasi zu vernachlässigen. Der Unterschied zu den vorherigen Spielen war, dass Thiago nun in höheren Zonen eine Option weniger hatte. Müller alleine reichte nicht aus, und die andere Achterposition blieb leer. Die Bayern eröffneten das Spiel somit noch konsequenter auf die Flügel, wo Ajax sofort Zugriff hatte.

Auch die Einbindung von Ribéry und Robben wurde zunehmend zu einem Problem für Kovač. Früher war es das Ziel der Münchner gewesen, diese beiden Dribbler auf den Außenbahnen zu isolieren, um ihnen mit einem Seitenwechsel genügend Platz für Einzelaktionen zu ermöglichen. Heute funktioniert das nicht mehr. Beide brauchen noch mehr Platz und taugen aufgrund ihres auf hohem Niveau fehlenden Tempos höchstens noch als Kombinationsspieler. Umso wichtiger ist ihre Einbindung über Spieler im Halbraum.

In den ersten Wochen gelang es den Bayern, die Halbräume so zu überladen, dass Ribéry und Alaba ständig unterstützt wurden. Über Kombinationen kamen sie dann häufig in den Strafraum. In Berlin war das teilweise auch noch zu erkennen, doch spätestens beim 1:1 gegen Ajax vor heimischer Kulisse blieb das fast gänzlich aus. Robben und Ribéry wurden zum Sinnbild einer alternden Mannschaft, der nach vorne Tempo und Ideen fehlten.

Im darauffolgenden Bundesliga-Spiel gegen Gladbach erreichte diese Phase ihren vorläufigen Tiefpunkt. Nach zwei frühen Toren der Gäste gab es erneut einen mentalen Bruch. Die Bayern verloren letztlich ein Spiel mit 0:3, in dem der Gegner sich kaum eine richtig gute Chance erarbeitet hatte. Es war fast schon absurd, wie effizient Augsburg, Hertha oder Gladbach diese Unsicherheiten der Bayern ausnutzten. Niko Kovač brachte dies in eine äußerst unbequeme Lage. Auch nach der Länderspielpause blieben gute Leistungen aus. Die Mannschaft holte zwar wieder ein paar Siege, verlor aber gegen Freiburg in der Nachspielzeit Punkte. In all diesen Partien merkte man den Spielern an, dass sie es unbedingt besser machen wollten. Sie wussten aber oft nicht, wie sie das anstellen sollen. Niko Kovač wirkte in dieser Phase mut- und ideenlos. Verwies er zu Beginn der Krise noch zu Recht auf eine schlechte Chancenverwertung, so war das Problem mittlerweile, dass die Bayern sich kaum noch Chancen herausspielten. Nachdem die Münchner in Dortmund mit 2:3 verloren, gab es erstmals Befürchtungen, dass die Zeit für Niko Kovač schon wieder vorbei wäre. Doch der Vorstand deckte dem Trainer nach wie vor den Rücken. Noch. Denn den Bossen war klar, wie hoch das Handicap für den Trainer war. Verletzungen, eine unglückliche Kaderpolitik, mentale Schwächen in der Krisenzeit, Druck von außen – nein, Kovač hatte es wirklich nicht einfach.

Ein paar suboptimale Wochen verursachten eine Unruhe, wie sie der Klub so schon lange nicht mehr erlebt hatte. Unter Carlo Ancelotti deutete es sich über mehrere Monate an, dass es bald krachen würde. Bei Niko Kovač gab es schon viel früher nicht wenige Menschen, die seine Entlassung begrüßt hätten.

Doch die Klubführung behielt zumindest kurzfristig recht. Die Bayern arbeiteten sich Schritt für Schritt aus der Krise heraus. Nach einem weiteren Tiefpunkt, als die Münchner zu Hause gegen Düsseldorf nur 3:3 spielten, folgten in der Bundesliga bis zur Winterpause fünf Siege in Folge. Nicht immer konnte der Rekordmeister dabei spielerisch überzeugen, doch das war nach diesem Herbst auch nicht mehr der höchste Anspruch. Auf gute Ergebnisse kam es jetzt vor allem an, und diese lieferte Kovač mit seiner Mannschaft. Das ging nicht ganz ohne Rücksicht auf Verluste. Der Trainer legte sich jetzt auf einen Kern von Spielern fest, denen er vertraute. Große Namen waren dabei egal, die Rotation schaffte er mehr oder weniger ab. Auch die Rückrunde begann Kovač nach diesem Motto. In den ersten Spielen des Jahres 2019 rotierte er so gut wie gar nicht. Bayern gewann gegen Hoffenheim und Stuttgart deutlich, offenbarte aber auch die Schwachstellen, mit denen Kovač offensichtlich Probleme hat.

Denn es ist vor allem die Flexibilität, die er selbst zu Beginn der Saison einforderte, die in den meisten Phasen der Saison auf der Strecke blieb. Kovač hat oft einen Plan A, der gut funktioniert. Im modernen Fußball werden aber viele Zyklen immer kürzer: Jürgen Klopp ändert beispielsweise alle sieben, acht Spiele kleine Details seiner taktischen Ausrichtung, damit sich die Gegner nicht zu hundert Prozent auf seine Mannschaft einstellen können. Die Kovač-Bayern sind dagegen – noch – leichter berechenbar: Sie haben Probleme, das Mittelfeld in Ballbesitz unter Kontrolle zu bringen. Nach dem 4:1-Sieg gegen Stuttgart sagte Leon Goretzka, dass er am liebsten auf einer Zwischenposition im Zentrum spiele – in der sogenannten Achter-Rolle. Doch diese Rolle fehlt im 4-2-3-1, auf das Kovač in der Krise umstellte.

Es ist problematisch, dass den Bayern eine Struktur fehlt, die längere Ballbesitzphasen ermöglicht. Oft entsteht ein Loch im Mittelfeld, das Ballverluste provoziert, aber auch beim Umschaltspiel in die Defensive zum Nachteil wird. Denn verlieren die Bayern den Ball, findet der Gegner häufig viel freie Wiese hinter der ersten Pressinglinie der Münchner. Die Abwehrkette verfällt dann in einen passiven Modus, weil sie den Angriff des Gegners entschleunigen möchte. Aus der Offensive rücken die Spieler zu langsam nach – so entstehen die meisten Gegentore. Schon am 19. Spieltag der Saison 2018/19 hatten die Bayern 20 Gegentreffer kassiert – so viele gab es 2012/13, 2014/15 und 2015/16 nicht mal in einer gesamten Saison.

Jede Fehlentwicklung dem Trainer anzulasten, wäre aber sicher zu einfach. Die Klub-Verantwortlichen müssen sich schon auch fragen lassen, wie man es zulassen konnte, zu Beginn der Saison 2018/19 mit Coman und Gnabry nur zwei schnelle Außenspieler im Kader zu haben. Ebenso fahrlässig war es, Rudy und Bernat ersatzlos zu verkaufen. Als Kimmich ins Mittelfeld rückte, hatte der FC Bayern nur noch zwei echte Außenverteidiger. Zwischenzeitlich musste sogar Goretzka dort spielen. Das setzt dann auch dem Einfluss eines Trainers Grenzen – selbst solchen wie Thomas Tuchel, der für ebenjene Philosophie steht, die der FC Bayern seit 2009 implementiert hat. O der für Julian Nagelsmann, der mit seiner taktischen Qualität Werte verkörpert, die dem Bayern-Spiel entgegenkämen.

Im Nachhinein ist es immer einfach, den »Schlaumeier« zu spielen, wie Uli Hoeneß das wohl formulieren würde. Und es ist nicht gesagt, dass die beiden genannten Kandidaten kurzfristig bessere Ergebnisse gebracht hätten. Aber es muss doch die Frage erlaubt sein, warum in dieser schwierigen Phase die Trainerentscheidung so lange hinausgezögert wurde und warum sie schließlich auf einen Trainer fiel, der noch nie für einen dominanten Fußball stand.

Immerhin: Dass die Bayern nach einem schwierigen Herbst nicht in Aktionismus verfielen, ist ein positives Signal. Zu Beginn der Rückrunde brachten sie sich sogar wieder in eine gute Ausgangsposition, um Borussia Dortmund doch noch vom Thron zu stürzen. Ob der aktuelle Weg ein guter ist, wird sich nicht zuletzt an den Leistungen in der Champions League bewerten lassen müssen. Denn auch in der Übergangsphase will man auf Augenhöhe mit Europas Top-Klubs bleiben. Eine schlechte Saison wäre wohl noch kein Beinbruch für den Verein, das ließe sich verkraften. Aber im Sommer werden die Karten neu gemischt. Dann braucht es kluge Entscheidungen und Fehlerkorrekturen.

Die Zukunft ist jetzt!

Das Aufgabenfeld ist für jeden zukünftigen Bayern-Trainer klar abgesteckt, egal wer es dann ist. Ein Trainer des Rekordmeisters muss längst nicht mehr nur die Stars bei Laune halten, um erfolgreich zu sein, er muss die Spieler auch ausreichend fordern, sie in Fragen der Fitness und Verletzungsanfälligkeit sogar überwachen. (Beispielsweise führte Kovač Methoden ein, mit denen über Blutwerte Fitnesszustände errechnet werden können. Muskelverletzungen wurden dadurch merklich reduziert.) Darüber hinaus muss der Trainer seinen Spielern erklären können, warum er sie auf die Bank setzt, ohne dabei an Autorität zu verlieren. Gleichzeitig soll er ein offenes Ohr für ihre Probleme haben und jedem das Gefühl geben, wertvoll für das große Ganze sein. Überdies muss er sich in der Außendarstellung so präsentieren, dass er die Mannschaft in den richtigen Augenblicken schützt, sie aber auch in die Verantwortung nimmt, wenn es nötig ist. Nicht zuletzt muss er seiner Mannschaft genügend taktische Mittel an die Hand geben, um die dominante Spielweise des Vereins, wie sie der FC Bayern seit Louis van Gaal kennt, flexibel und abwechslungsreich zu verfolgen. Gelingt einem Trainer das nicht, ist er bereits gescheitert. Und selbst wenn ein Trainer diese Fähigkeiten besitzt, hilft ihm alles nichts, wenn am Ende einer Saison nicht genügend Silberware in der Vitrine steht.

Gerade die Königsklasse ist hier zum Hauptaugenmerk geworden. Ein einziger Fehler kann dazu führen, dass eine eigentlich gute Saison plötzlich in Frage gestellt wird. Wie schnell sich daraus eine negative Dynamik entwickeln kann, haben einige Bayern-Trainer zuletzt am eigenen Leib erfahren.

»Am Ende bist du als Trainer verantwortlich, aber die Spieler müssen es machen auf dem Platz. Du kannst so viel wollen, aber du brauchst dann auch die Spieler, die das ausführen«, meinte Arjen Robben im Interview mit uns für *Miasanrot.de*.

Nur wenige Trainer auf der Welt sind in der Lage, in einer solchen Gemengelage erfolgreich zu sein. Die Erwartungshaltung ist enorm, aber kurzfristig kann nicht das nächste Triple das Ziel sein, sondern der sukzessive Aufbau einer neuen Mannschaft mit jungen Spielern. Auf eine große Ära unmittelbar die nächste folgen zu lassen, ist fast unmöglich. Deshalb geht es für den FC Bayern jetzt vor allem darum, den Übergang in eine neue Zeitrechnung zu schaffen. Der Erfolg des Vereins wie des Trainers sollte auch daran gemessen werden, wie sich die Mannschaft entwickelt hat und welche Fortschritte

Spieler wie Kimmich, Süle, Sanches, Goretzka, Gnabry oder Coman erzielt haben.

Der FC Bayern hat auch in der jetzigen Übergangsphase angedeutet, dass er sehr attraktiven und erfolgreichen Fußball spielen kann. Fakt ist trotzdem, dass die Mannschaft zu viel Angriffsfläche geboten hat. Das liegt nicht zuletzt an einem Entwicklungsprozess, den auch die große Mannschaft um Philipp Lahm und Bastian Schweinsteiger einst durchlaufen musste: Altbewährtes funktioniert nicht mehr, die Schlüsselfiguren vergangener Erfolge klammern sich fest an ihren Rollen, unpopuläre Entscheidungen werden ungern getroffen. Ein solcher Wechsel braucht eben Zeit. Wer will es jemandem verübeln, dass er eine solche Ära so lange wie nur irgend möglich sterecken möchte?

Allerdings endet ein solches Vorhaben oft mit einem Knall. Auch der FC Bayern hat einen solchen Knall in den Jahren nach dem Champions-League-Titel 2001 bereits erlebt. Er wird ihn wieder erleben, wenn der Kurs nicht bald noch stärker in Richtung Zukunft gelenkt wird. Denn die Zukunft ist jetzt. Robben und Ribéry werden ihre Karrieren beenden, auch Spieler wie Thomas Müller, Manuel Neuer, Mats Hummels, Javi Martínez und Jérôme Boateng müssen in den kommenden Monaten hinterfragt werden. Mit allem Respekt: Denn sie sind es, die großen Anteil an der vergangenen Ära hatten. Sie sind es, die das Erbe der Generation Lahmsteiger in eine neue Generation getragen haben. Doch nun ist es an der Zeit, dass eine kommende Generation ihre eigenen Spuren hinterlassen darf.

Epilog: Ein Blick in den Münchner Horizont (2018/19)

Da sitze ich also auf einem Hügel im Münchner Olympiapark und blicke in die Ferne. Kaum ein Anblick verzaubert mich so wie der des Münchner Abendhimmels über dem Olympiastadion. Die Sonne bahnt sich langsam ihren Weg hinter den Horizont, ein kühler werdender Wind bläst mir leicht ins Gesicht. Es geht etwas zu Ende. Ich denke an die letzten zehn Jahre des FC Bayern und an seine großen Erfolge. Ich denke aber auch an die Fehlschläge und die Probleme der jetzigen Übergangszeit. Was mich dabei leise lächeln lässt, ist die Gewissheit: Über die Einzigartigkeit der vergangenen Ära lässt sich nicht mehr streiten. Das macht es leichter, die Herausforderungen der Zukunft zu betrachten.

Und die sind riesig. Die 222 Millionen Euro, die Paris Saint-Germain im Sommer 2017 für Neymar bezahlte, waren der Startschuss für eine verrückte Zeit. Das Pariser Projekt will um jeden Preis die Champions League gewinnen und scheut dabei nicht davor zurück, den Markt mit dem Geld der katarischen Investorengruppe, der der Verein seit 2012 zu hundert Prozent gehört, zu überfluten. Bisher gelang der große Wurf noch nicht. Aber auch in England wird mit sehr viel Geld geradezu um sich geschmissen. Ein Spieler, der ein paar Meter schnell geradeaus laufen kann und es schafft, den Ball an den Mitspieler zu bringen, ist heutzutage oft schon 15 Millionen Euro wert. Kann er sogar Tore schießen, steigt die Summe auch gern auf das Doppelte. Mit einem aktuellen Marktwert von

180 Mio. Euro im Dezember 2018 ist Neymar noch nicht einmal der wertvollste Spieler – das ist Kylian Mbappé mit 200 Mio. Euro.

Die Explosion des Transfermarktes macht es für den FC Bayern schwer, seinen bisherigen Weg weiterzugehen. Gemessen an den internationalen Gepflogenheiten zeichnete die Bayern im Umgang mit Geld bislang eine gewisse Rationalität aus. Die Rekordtransfers der Münchner sind Corentin Tolisso und Javi Martínez. Beide haben zusammen knapp über ein Drittel der Ablösesumme gekostet, die Paris für Neymar auf den Tisch legte. Viele Fans kritisieren ihren Verein dafür, dass er sein berüchtigtes Festgeldkonto nicht genügend beanspruche: Spieler wie Robben und Ribéry hätte man schon viel früher ersetzen können, wenn man bereit gewesen wäre, tiefer in die Tasche zu greifen. Kritisiert wird aber auch der zuletzt nicht immer ganz fehlerfrei justierte Wertekompass des FC Bayern, der sonst von den Fans sehr geschätzt wird – gerade auch im Vergleich mit anderen Top-Klubs in Europa oder den zuletzt auf der Enthüllungsplattform *Football Leaks* veröffentlichten Machenschaften. Allerdings haben auch die Münchner schon das eine oder andere Mal ganz auf diesen Kompass verzichtet. So ist Qatar Airways in den letzten Jahren zum Premiumpartner des Klubs aufgestiegen. Eine logische Konsequenz aus den regelmäßigen Trainingslagern, die der FC Bayern dort im Winter abhält, könnte man meinen. Aber von einem beachtlichen Teil der Fans gab es dafür große Kritik. Zu Recht. Die Verantwortlichen des Klubs argumentierten, dass der FC Bayern vor Ort seinen Einfluss nutzen würde, um etwas zu verändern. Viel zu sehen war davon allerdings nicht. Positiv zu bewerten ist immerhin, dass beispielsweise die Frauenmannschaft im Jahr 2018 nach Katar reiste, um damit die Gleichberechtigung zu repräsentieren. Doch die 90 Minuten, in denen der FC Bayern tatsächlich darüber sprach, hatten letztendlich weniger mit Gleichberechtigung als mit Vermarktung zu tun. Und wie so oft geht es eben vor allem um Geld.

Der FC Bayern hat aber auch eine ganz besondere eigene Verantwortung, die aus seiner Historie im Nationalsozialismus entstand: Kurt Landauer prägte diesen Klub in dieser Zeit als Präsident. Der FC Bayern war, ist und bleibt deshalb immer auch sein Klub. Als Sohn eines jüdischen Kaufmanns wurde er von den Nazis verfolgt und von seiner großen Liebe getrennt. Er schaffte es, aus dem Dachauer KZ in die Schweiz zu fliehen und nach dem Krieg zurückzukehren. Gewiss war der FC Bayern im Nationalsozialismus kein Hort des Widerstandes, aber er zeigte eine Resistenz, die im Vergleich zu anderen Vereinen zu Recht hervorgehoben wird. Vor diesem Hintergrund muss sich der Verein heute fragen lassen, wie es sich mit den eigenen Werten vereinbaren lassen soll, Geschäfte mit einem absolutistisch regierten Staat einzugehen, dem etwa von Amnesty International immer wieder Menschenrechtsverletzungen vorgeworfen werden.

Stichwort Zukunft: An der Säbener Straße wird zunehmend international gedacht. Man will die Fans in Amerika und Asien abholen, verliert dabei aber gelegentlich die heimischen Fans aus dem Blickfeld. Die hohen globalen Ziele in der Fußballwelt zu erreichen und die Nähe zur Basis zu erhalten – das fügt sich in vielen Fällen nicht glücklich zusammen. Hier einen Mittelweg zu finden, der Erfolg, Moral, Nähe zur Heimat sowie eine klare Positionierung unter einen Hut bringen kann, ist ein Teil der Aufgaben für die Zukunft.

Ähnliches gilt für das Nachwuchsleistungszentrum: Der FC Bayern wird dort in den nächsten Jahren wieder auf einen größeren Pool aus Spielern zurückgreifen können, die das Potenzial haben, sich beim Rekordmeister durchzusetzen. Allerdings müssen diese Talente dann auch den Weg zu den Profis geebnet bekommen. Ein schöner Apfelbaum ist nichts wert, wenn die Äpfel nicht geerntet werden. Zumal der FC Bayern nicht allein ist auf dem Markt. Es braucht ein klares Konzept, um möglichst viele Äpfel in den eigenen

Korb zu bekommen. Einige dieser Spieler könnten dann wohl auch dafür sorgen, dass Klub und Fans wieder enger zusammenrücken. Gerade der Schweinsteiger-Abschied im August 2018 zeigte, wie hoch die Bindekraft eines Spielers sein kann. Aber dafür muss im Jugendbereich noch viel getan werden. Es fehlt ein klares Gesicht, eine Identität, die sich durch den gesamten Klub zieht. Von der Strahlkraft der Akademien in Amsterdam und Barcelona sind die Bayern noch weit entfernt.

Die größte Herausforderung der Zukunft wird darin liegen, einen Wechsel in der Führungsetage voranzutreiben. In der Zeit, die Uli Hoeneß wegen seiner Steuerdelikte im Gefängnis verbringen musste, bekam man in München eine erste Vorstellung davon, wie eine Zukunft ohne diesen Präsidenten aussehen könnte. Vor zehn bis fünfzehn Jahren schien das noch unvorstellbar zu sein, doch nun sah es so aus, als könne sich der moderne FC Bayern von seinem Macher emanzipieren. Gerade in der Außendarstellung entstand das Bild eines ruhigeren, gelasseneren Klubs, der zunehmend auf seine »Abteilung Attacke« verzichtete zugunsten einer umfassenden Modernisierung. Die verbale Zurückhaltung brachte dem Verein auch Respekt bei Rivalen ein. Doch seit der Rückkehr von Uli Hoeneß werden viele Themen wieder deutlich öffentlicher diskutiert, verbale Angriffe auf andere Vereine haben wieder zugenommen. Das Image eines Klubs, der sich vor allem auf seine Modernisierungsaufgaben konzentrierte, hielt nur kurz.

Heute ist Hoeneß längst wieder der dominante Mann beim FC Bayern. Er zieht die Fäden nicht nur aus dem Hintergrund, wie man es sich nach seiner moralisch fragwürdigen Rückkehr gewünscht hätte, sondern durchaus öffentlichkeitswirksam. Die Rückendeckung des Klubs und vieler Fans ist ihm dabei sicher: Hoeneß hat den FC Bayern überhaupt erst zu dem gemacht, was er heute ist. Ohne ihn hätte auch die Generation Lahmsteiger vielleicht nie den Erfolg gehabt, der in diesem Buch beschrieben wurde. Dafür gebührt ihm ewiger Dank. Doch der Gegenwind wird stärker. Wie stark er tatsächlich ist, wird erst die nächste Präsidentschaftswahl im Jahr 2020 zeigen. In der Zwischenzeit distanzieren sich auch immer mehr Fans von den Handlungen des Präsidenten. Eine irre Pressekonferenz hier, ein unnötiger Seitenhieb gegen Ex-Spieler da – das alles summiert sich und macht Hoeneß angreifbarer. Auch seine konservative Einstellung zu Themen wie Technik und Taktik unterstreicht das Bild eines ehemals innovativen Machers, der vielleicht schon den richtigen Zeitpunkt verpasst hat, sich zurückzuziehen und anderen die Verantwortung zu übergeben: War Hoeneß vor einigen Jahren noch ein Visionär, um dessen Rat viele Menschen glücklich waren, sieht es nun danach aus, als sei er es vor allem, der gerade den Übergang in eine neue Zeit verzögert.

Das zeigt auch die Debatte um Salihamidžić, Hoeneß' Wunschkandidat als Sportdirektor. Schon seinem Vorgänger Christian Nerlinger wurde vorgeworfen, dass er den Alphatieren des Klubs zu wenig entgegenzusetzen habe. Ein ähnlicher Eindruck entsteht jetzt wieder. Es fehlt ein Gegenpol zu den Granden des Vereins. Wer kann Rummenigge und Hoeneß auch mal Grenzen aufzeigen oder ihnen erfolgreich widersprechen? Und ist das überhaupt gewollt? Gerade in der schwersten Phase der letzten Jahre tauchte Salihamidžić ab, führte kaum noch Interviews. Es gibt berechtigte Sorgen, dass er nicht derjenige ist, der die Verbindung zwischen Vorstand und Mannschaft gewährleisten kann. Das zeigen auch die Diskussionen rund um James Rodríguez, die er nicht moderieren konnte. Es wäre daher nicht verwunderlich, wenn der FC Bayern auch auf dieser Position bald wieder neue Weichen stellen muss.

In der Hinterhand hat der Klub immerhin zwei Ex-Spieler, die das Potenzial haben, eine ähnliche Ära zu prägen, wie es Karl-Heinz

Rummenigge und Uli Hoeneß einst taten. Der FC Bayern sollte alles dafür tun, die Namensgeber der Generation Lahmsteiger langfristig an den Klub zu binden. Schweinsteiger wird seine Karriere als Profi bald beenden, Lahm sammelt seit Jahren Erfahrungen in der Berufswelt fernab des Fußballplatzes. Vielleicht sehen die Pläne der beiden Vereinslegenden auch andere Wege vor. Lahm ist bis zur Europameisterschaft 2024 erst einmal an den DFB gebunden. Doch wenn der FC Bayern nicht alles versuchen würde, um ihn und Schweinsteiger in hohe Positionen zu bringen, wäre das ein großer Fehler.

Neben Lahm und Schweinsteiger werden auch Kahn und Eberl immer wieder genannt als diejenigen, die mit ihren Erfahrungen der letzten Jahre externe Sichtweisen in den Klub bringen könnten. Darüber hinaus sollte gerade auch auf sportlicher Ebene der Blick über den eigenen Tellerrand hinaus eine wichtige Rolle einnehmen: Mit niederländischem und katalanischem Einfluss gelang den Bayern der Durchbruch an die europäische Spitze. Das »Mia san mia« verschmolz mit anderen Fußballkulturen und entwickelte sich so weiter. Van Gaal, Heynckes und Guardiola sorgten in München für eine glückliche Symbiose – die Bereitschaft zur Veränderung und das Offenbleiben für Einflüsse auch von außen sind wesentliche Elemente des Fortschritts und des Erfolgs.

Und noch sind Rummenigge und Hoeneß dazu in der Lage, mit ihren Kompetenzen und Netzwerken einer negativen Entwicklung etwas entgegenzusetzen. So groß die Kritik an den beiden manchmal auch ist – ihre Bedeutung für den Klub ist enorm. Jetzt gilt es, den Klub in eine neue Zeit zu begleiten. Vielleicht ist es der letzte Übergang, den sie moderieren werden.

Es ist ein Übergang von der erfolgreichsten Ära der Vereinsgeschichte seit den 1970er-Jahren in die Zukunft. Für die Fans des FC Bayern wird es in jedem Fall eine spannende Zeit: Wer wird der neue van Gaal? Wann werden die Bosse ihre Nachfolger etablieren? Bleibt der Klub in Europas Spitze? Findet er wieder mehr Nähe zu seinen Fans? Wie lange wird es nach der »Generation Lahmsteiger« dauern, bis der FC Bayern wieder einen internationalen Titel gewinnt? Wie sehen die Gesichter der neuen Generation aus? Gibt es bald wieder so prägende Figuren wie Lahm und Schweinsteiger?

Die Generation Lahmsteiger hat einen Klub hinterlassen, der in der Lage ist, mit den Erfahrungen der letzten Jahre viele dieser Antworten zu finden. Diese besondere Ära hat gezeigt, wie ein Top-Klub im modernen Fußball erfolgreich agieren kann. Sie hat aber auch gezeigt, dass eine Mannschaft Zeit braucht und Fehler als Teil der Entwicklung gesehen werden müssen. Spieler wie Lahm und Schweinsteiger hinterließen gerade auf menschlicher und charakterlicher Ebene so tiefe Spuren, dass niemand ernsthaft sofortigen Ersatz erwarten konnte. Doch dieses Erbe bedeutet für den Klub auch eine große Chance: den Spirit der Generation Lahmsteiger mit in die nächste Ära zu nehmen.

Und sollte der Erfolg mal wirklich über einen längeren Zeitraum ausbleiben, wird man umso mehr zu schätzen wissen, was diese Generation für den FC Bayern alles geleistet hat. Daran denke ich, als ich den großen Feuerball am Münchner Abendhimmel hinterm Olympiapark verschwinden sehe. Und mir ist klar, dass er irgendwann wieder aufgehen wird.

Danksagung

Einer der ersten, die von meiner Idee erfuhren, dieses Buch zu schreiben, war Martin Brinkmann. Martin ist mein Vermittler. Ohne ihn hätte ich keines meiner drei Bücher geschrieben. Bei diesem dritten Werk war es aber anders als bei den anderen beiden. Diesmal kam ich auf ihn zu. Kein Format, keine Vorgaben. Martin spürte meine Leidenschaft und mein Herzblut, das ich in dieses Projekt steckte. Eine Mischung aus journalistischer Arbeit und Fanperspektive schwebte mir vor, Nähe und Distanz sollten sich abwechseln, weil das meine Beziehung zum FC Bayern am ehesten widerspiegelt. Nach intensiver Suche fand er einen Verlag, der mir die Chance zur Veröffentlichung bot. Damit hat er mir einen Herzenswunsch erfüllt, wofür ich ihm und dem Copress Verlag ewig dankbar sein werde.

Genauso dankbar bin ich Christian Nandelstädt und Enrico Saft. Ich habe sie vor einiger Zeit auf Twitter kennengelernt, und sie sind seitdem enge Begleiter meiner Autorentätigkeiten geworden. Mit ihrer Expertise haben sie mir ständig Feedback zum Buch gegeben und dafür gesorgt, dass ich mich nicht verrenne.

Großer Dank gilt zudem den vielen Fans und Journalisten, mit denen ich über die vergangenen Jahre des FC Bayern gesprochen habe. Besonders danken möchte ich Frank Lußem, der mir nicht nur mit seinen Erfahrungen als Autor zur Seite stand, sondern mir auch seine Hilfe angeboten hat, als noch kein Verlag für mein Projekt gefunden worden war. Danke, Frank, und bleib wie du bist!

Dieses Buch ist mein Herzensprojekt. Das Gleiche gilt für *Miasan rot.de* – den Blog, für den ich seit 2016 schreibe. Ich bin dort Teil einer stetig wachsenden Familie und habe viel über den FC Bayern und mich selbst gelernt: Ihr bringt mich als Autor und als Mensch fast täglich einen Schritt weiter. Ihr seid mehr als Wegbegleiter meiner schriftstellerischen Laufbahn. Ihr seid zu sehr guten Freunden geworden. Danke!

Was niemals fehlen darf: Danke für alles, Mama und Papa!

Last but not least möchte ich meiner Freundin Nina danken: Als ich dieses Buch schrieb, blieb viel zu wenig Zeit für dich. Danke für dein Verständnis und deine Geduld. Ich liebe dich!